Kleines Wörterbuch der Jugendsprache

Margot Heinemann

Kleines Wörterbuch der Jugendsprache

VEB Bibliographisches Institut Leipzig

Heinemann, Margot:
Kleines Wörterbuch der Jugendsprache /
Margot Heinemann. – 2., unveränd. Aufl.
– Leipzig: Bibliographisches Institut, 1990.
– 122 S.
ISBN 3-323-00273-3

ISBN 3-323-00273-3

2., unveränderte Auflage
© VEB Bibliographisches Institut Leipzig, 1990
Verlagslizenz-Nr. 433-130/106/90
Printed in the German Democratic Republic
Gesamtherstellung: Druckhaus Aufwärts, Leipzig – III/18/20 · 2310
Einbandgestaltung: Rolf Kunze
LSV 0817
Best.-Nr. 578 273 9
00700

Inhalt

Vorwort   7

Zur Sprechweise der Jugendlichen   9

Reden mit dem Partner – aber wie?   9
Die heutige Jugend – keine „Null-Bock-Generation"   11
Freizeitgruppe und Sprachverhalten   14
Jugend und Modeerscheinungen   17
Die Kraft der Wörter – sprachliche Signale seit Generationen   23
Woher kommen die Wörter?   28

Inhaltliche Gliederung der Wörter und Wendungen   33

Jugendliche treffen sich   33

Sie beginnen ein Gespräch   33
Sie reden sich freundschaftlich an   33
Sie wenden sich schnell anderen Dingen zu   35

Jugendliche reden über vieles   40

Sie reden zum Beispiel über Leute, die ihnen nahestehen und
die sie mögen   40
Sie reden über Personen, die sie nicht mögen   43
Sie reden über andere, die besonders auffallen   51

Jugendliche nennen die Dinge beim Namen   55

Sie nennen die Dinge selbst   55
Sie haben auch Namen für Handlungen und Zustände   61

Jugendlichen gefällt vieles   83

Ihnen gefällt etwas überaus gut   83
Ihnen gefällt etwas überhaupt nicht   92

Jugendliche halten nicht gern maß 97

Sie sind furchtbar überrascht 97
Sie übertreiben alles 99
Sie können auch ganz cool bleiben 96

Wie jugendspezifische Texte aussehen 105

Alphabetisches Verzeichnis der Wörter und Wendungen 114

Vorwort

Unterhalten sich Erwachsene mit Jugendlichen – vor allem der Altersgruppe der 14- bis 18jährigen –, werden sie in der Regel nur wenige Unterschiede zum allgemeinen Sprachgebrauch feststellen. Auch die jungen Leute äußern sich überwiegend normgerecht, d. h. entsprechend den Normen, die ihnen in der Schule vermittelt wurden und die als allgemeine Normen für sprachlich-kommunikatives Verhalten angesehen werden können.

Auch wenn Jugendliche unter sich sind, halten sie sich vielfach an diese Sprachnormen; insbesondere dann, wenn sie offiziell zusammenkommen, bei der Lösung schulischer oder betrieblicher Arbeitsaufgaben, in FDJ-Versammlungen mit Referaten und in offiziellen Diskussionen u. a. m. In solchen „institutionalisierten" Situationen sind die von den Erwachsenen übernommenen Verhaltensnormen so stark ausgeprägt, daß auch das sprachliche Verhalten kaum nennenswerten Variationen unterliegt.

Anders dagegen verhalten sich Jugendliche in ihrer Freizeit. Hier kommt es zur Ausprägung einer speziellen Sprechweise, es zeigt sich sowohl das Bestreben, den Besonderheiten jugendspezifischen Verhaltens Ausdruck zu verleihen, als auch die Freude daran, mit Sprache kreativ umzugehen. Im Freizeitverhalten der Jugendlichen begegnen dann auch gehäuft Ausdrücke, die als jugendspezifisch gelten, wie z. B. *cool, tierisch, Tussi*. Die wichtigsten Wörter und Wendungen aus diesem Bereich stellt das Buch vor.

Die Erscheinungsformen der sprachlichen Kommunikation der Jugendlichen sind aber keineswegs auf solche exotischen Wörter und Wendungen zu beschränken. Die Sprechweise der Jugendlichen untereinander ist nicht nur durch jugendspezifische Modewörter geprägt; vielmehr gehören dazu auch umgangssprachliche und alltagssprachliche Erscheinungen, die auch für die Sprechweise der Erwachsenen in gleicher Weise charakteristisch sind. Wenn diese aber von Jugendlichen extrem häufig verwendet werden, finden sie in dieser Sammlung gleichfalls Berücksichtigung. Die jugendspezifischen Ausdrücke fungieren in Texten der Jugendlichen vor allem als gruppenanzeigende Signale; mit ihrer Hilfe wollen die Sprecher zu erkennen geben, daß sie zu einer Gruppe von Jugendlichen gehören.

Welche Signale Jugendliche in bestimmten Texten verwenden, ist von vielen Faktoren abhängig, nicht zuletzt auch von der Situation und der Spezifik des Verhältnisses der Jugendlichen untereinander. Damit ist gesagt, daß kaum ein Jugendlicher den gesamten hier aufgelisteten Wortschatz wirklich aktiv gebrauchen wird. Vielmehr handelt es sich um eine Sammlung von lexikalischen Einheiten, die zusammengenommen als eine Art Querschnitt von Jugendspezifika in der DDR anzusehen sind. Genauer gesagt sind es Jugendspezifika der 80er Jahre, da Jugendsprachliches einem relativ schnellen Wechsel unterworfen ist: Was eine Generation junger Leute als „fetzig" oder „poppig" ansah, kann von den nachrückenden Vertretern der Altersgruppe anders – in ihren Augen angemessener – benannt werden. Eine Sammlung von Wörtern und Wendungen kann demnach nur als Charakteristikum der Sprechweise von Jugendlichen im genannten Zeitraum verstanden werden. Das zugrunde gelegte Material stammt aus verschiedenen Bereichen: aus Studentenarbeiten, aus Funk und Fernsehen, Leserbriefen, Privatbriefen und – seltener – aus der Belletristik. Dabei wurden unterschiedliche Methoden angewandt: Befragungen durchgeführt, Tonkonserven aufgenommen und vor allem sehr viele Hörbelege gesammelt.

Das Belegmaterial wurde nach Sachgruppen eingeteilt, weil dadurch das Verständnis von Inhalt und Gebrauchsvariante gefördert wird. Innerhalb der Teilkapitel wird alphabetisch geordnet, und zwar nach dem sinnwichtigsten Wort, das meist ein Substantiv ist. Das alphabetische Register am Ende soll das Nachschlagen erleichtern und durch den Verweis auf unterschiedliche Seiten auch die Vielfalt der Verwendungsmöglichkeiten illustrieren.

In den Stichwörtern wird das entsprechende Wort oder die Wendung in einem Kurztext in einer typischen Verwendungsvariante vorgestellt. Diese Kurztexte basieren auf authentischem Material, wurden aber für unsere Zwecke leicht bearbeitet. Beispielsweise wurden alle Dialekthinweise (*ik, det, keene*) gestrichen, während eine Anlehnung an die allgemeine Alltagssprache beibehalten wurde, z. B. bei der 2. Person Singular (*kannste* für *kannst du, haste* für *hast du*) oder bei syntaktischen Konstruktionen (*Disko? Ist was für kleine Kinder!*), also immer dann, wenn eine zu starke Anpassung an die Hochsprache unecht wirken würde. Der Hinweis „syn." bei einzelnen Stichwörtern macht auf die Bedeutungsähnlichkeit im Gebrauch aufmerksam und bedeutet ‚synonym'.

Die vorgestellte Sammlung kann aber einigen – sicher wünschenswerten – Anforderungen nicht gerecht werden. Spitznamen haben hier keinen Platz gefunden, weil sie immer an eine konkrete Person gebunden sind. Desgleichen wurden Namen von Musikgruppen oder -titeln nicht angegeben und im Bedarfsfall mit X umschrieben. Auch Wortelemente, die aus dem Schul- oder Universitätsleben kommen, wurden nur aufgenommen, wenn sie eine gewisse Allgemeingültigkeit bekommen haben; ansonsten sind für uns die sogenannte Schüler- oder Studentensprache ein eigener Bereich.

Leider können zum gegenwärtigen Zeitpunkt auch noch keine Angaben über die Häufigkeit des Gebrauchs generell und speziell für verschiedene Gegenden unserer Republik gemacht werden, Tendenzen wurden aber berücksichtigt.

Verzichtet wurde auch auf eine Literaturliste. Ihr Umfang würde bei konsequenter Aufnahme aller in Frage kommenden Titel nicht in den Rahmen des Buches passen.

Danken möchte ich abschließend den vielen Helfern und Freunden, die mir wertvolle Anregungen und Hinweise bei der Sammlung und Auswertung des Materials gegeben haben.

Margot Heinemann

8

Zur Sprechweise der Jugendlichen

•

Reden mit dem Partner – aber wie?

„He, du Keim! Mach mich nicht an!" Dieser Ausruf einer etwa 16jährigen, mit dem sie offenbar die unangemessene Bemerkung eines gleichaltrigen Jungen zurückweist, läßt die Fahrgäste in der Straßenbahn leicht zusammenzucken. Man versucht sich mit Blicken zu verständigen – Die heutige Jugend! – und strafend an der heutigen Jugend vorbeizusehen. An der nächsten Haltestelle steigen die Jungen aus, unter freundschaftlichen, aber von den Mitfahrenden kaum verstandenen Bemerkungen: „Macht 'n Abflug, ihr Assis!" „Gehste heute zu der Anmache?" „Nee, da is mir zu viel Wuhling." „Du hast doch 'n Rad ab, ehrlich!" „Also tschau!" Die beiden zurückbleibenden Mädchen sind sich einig darüber, daß sie es schwer haben. Die eine hat „in Geo eine volle Hand" gefangen und wird nun deswegen von den „Oldies" ständig „angemacht". Bei der anderen rückt „der Erzeuger" einfach nicht mit der „Knete" für einen „schockigen Kittel" raus. Die beiden stecken sorgenvoll die Köpfe zusammen. Bis zur Endstelle bleibt nur eine sitzen. Beim Aussteigen hilft sie einer Frau mit Kinderwagen und fragt höflich: „Kann ich bitte mal durch?" Man kann sich kaum vorstellen, daß dasselbe Mädchen noch wenige Minuten vorher vom „Keim" und vom „Anmachen" gesprochen hat. Wie ist eine solche Wandlung zu verstehen?

Die Jugendlichen in der Straßenbahn haben sich etwas zunutze gemacht, was tägliche Realität nicht nur für die Jugendlichen ist: Das unterschiedliche Reden mit verschiedenen Partnern in verschiedenen Situationen. Dieselben Jugendlichen werden am nächsten Tag in der Schule mit ganz anderen Worten über Goethes „Faust" diskutieren, mit den richtigen Fachwörtern die Fallgesetze erklären oder nach mathematischen Lösungen suchen. Sie werden sich in der Pionier- oder FDJ-Gruppe über die Lage in der Welt informieren oder einen faulen Mitschüler zur Ordnung rufen. Oder sie werden im Treppenhaus mit höflichen Worten der Nachbarin erklären, warum sie am 1. September im Blauhemd zur Schule gehen. Das alles ist denk- und vorstellbar. Sie werden aber auch in der Hofpause, beim Treff an der Kaufhalle oder in der Disko mit ihren Freunden ihre Probleme in ihren Worten durchsprechen. Diese „Sprache" in der Sprache kann sehr witzig und spritzig sein. Sie ist mitunter so anschaulich, daß einzelne Wörter von den Erwachsenen aufgegriffen und in den eigenen Wortschatz übernommen werden. Wenn man bedenkt, wieviel Kreativität dazugehört, immer neuen Wortschatz zu „erfinden" und für die eigenen Bedürfnisse aufzubereiten, kann man den jugendspezifischen Wortschatz durchaus als Bereicherung der deutschen Gegenwartssprache empfinden. Mitunter werden allerdings die Grenzen des guten Geschmacks berührt. Ein Erwachsener wird nicht immer einschätzen können, ob „Du Keim!" noch als freundschaftliches Geplänkel durchgehen kann, – die Jugendlichen dagegen verstehen sich gewöhnlich richtig. Es gibt aber auch Wörter und Wendungen, die von keinem Erwachsenen (und Jugendlichen!) toleriert werden sollten.

Zu solchen abzulehnenden Ausdrücken gehören z. B. die Anrede „Aidsverdächtiger" oder Wendungen, die aussagen, daß etwas „spastisch" sei.

Sicher darf man davon ausgehen, daß viele Jugendliche im Grunde gar nicht wissen, wovon sie reden (oder besser: was sie einfach nachplappern), daß sie sich zumindest nicht der Tragweite und der Assoziationskraft solcher Formulierungen bewußt sind; hier soll menschliches Unglück spöttisch-ironisierend umfunktioniert werden. Das aber ist beim Inhalt dieser Benennungen moralisch nicht mehr vertretbar, und daher setzt hier die Mitverantwortung aller Mitglieder der Gesellschaft im Sinne einer aufklärenden Einflußnahme auf die Jugendlichen ein. Andererseits sollte das auch nicht zu einer generellen Verurteilung der besonderen Sprechweise der Jugendlichen führen.

Auch Erwachsene haben oft eine „Freizeitsprache" in der

Familie, am Stammtisch oder auf dem Fußballplatz. Es ist also völlig legitim, daß Jugendliche zur Darstellung i h r e r Probleme mit i h r e n Freunden einen bestimmten Umgangston bevorzugen, auch wenn der nicht gleich von allen verstanden wird. Man muß sich schon die Mühe machen, den Jugendlichen hinterherzuhören, ihren Wortschatz, ihre Ausdrücke unter die Lupe zu nehmen, um urteilen und – wenn nötig – verurteilen zu können.

Und damit ist auch indirekt das Anliegen dieses Büchleins genannt: Es will einen ersten Beitrag leisten zum Verstehen unserer Jugendlichen, ihrer Haltungen und Reaktionen, die man auch an ihrem Vokabular, an ihrem sprachlichen Miteinander ablesen kann.

Die heutige Jugend – keine „Null-Bock-Generation"

Fragen wir doch einmal nach, warum sich Jugendliche in dieser spezifischen Weise äußern. Soziologen sprechen in diesem Zusammenhang von der „biosozialen Besonderheit der Großgruppe Jugend", was einfach bedeutet, daß in jeder Gesellschaftsordnung die Jugend mit spezifischen Rechten und Pflichten in den gesamtgesellschaftlichen Prozeß eingeordnet werden muß. Auf welche Weise das geschieht, darf als ein Kriterium für die Menschlichkeit einer Gesellschaftsordnung, eines Staates angesehen werden. Welche Möglichkeiten werden der Jugend für ihre Entwicklung eingeräumt, welche Ziele werden ihr gesteckt, zu welchen Leistungen für die Gesellschaft kann sie befähigt werden? Arbeitslosigkeit, Angst vor der Zukunft, Verkümmerung aller menschlichen Werte sind kein Nährboden für die Entwicklung einer leistungsfähigen Jugend. Nicht zufällig wird die heutige Jugendgeneration in kapitalistischen Ländern nach ihren beliebtesten Redewendungen als „No-future-Generation" oder als „Null-Bock-Generation" bezeichnet. Was kann einer Jugend Schlimmeres passieren, als daß sie zur Hoffnungslosigkeit verdammt wird?

Aus verschiedenen Gründen können wir aber nicht von einer einheitlichen „Großgruppe Jugend" ausgehen, sondern müssen sie von verschiedenen Standpunkten aus betrachten. Das „Wörterbuch der Psychologie" (1985) weist zu Recht darauf hin, daß sich das Jugendalter immer mehr ausdehnt und daß der Übergang von der Kindheit zum Erwachsenenalter nicht mehr mit der Geschlechtsreife zusammenfällt, wie das noch bei Naturvölkern der Fall ist. Seit dem Anfang des 20. Jahrhunderts setzte die Geschlechtsreife immer früher ein, in Mitteleuropa bei Mädchen zwischen 11 und 13 Jahren, bei Jungen zwischen 13 und 14 Jahren. Die Übernahme aller staatsbürgerlichen Rechte und Pflichten, die Familienverantwortung und die Berufstätigkeit sind zeitlich versetzt und fallen nicht mehr mit der Geschlechtsreife zusammen. Mit Beginn des Industriezeitalters ist der Ausbildungsprozeß bis zur Berufsfähigkeit komplizierter und umfangreicher geworden, die „Lernzeit" immer länger.

Aus diesen Entwicklungsetappen werden von Medizinern, Juristen, Psychologen, Soziologen unterschiedliche Jugendbegriffe abgeleitet. Verfassung und Jugendgesetz erfassen Jugendliche bis zum 25. Lebensjahr, Straf- und Arbeitsrecht setzen Zäsuren mit 14, 16 und 18 Jahren, Jugendtourist und sozialpolitische Maßnahmen beziehen junge Leute bis zu 30 Jahren ein. Das sind äußere Kennzeichnungen, die auf biologischen und sozialen Besonderheiten beruhen. Wir schließen uns dem „Wörterbuch der Soziologie" (1983) an, das eine Einteilung in Jugendliche (14 bis 18 Jahre) und junge Menschen (19 bis 25 Jahre) vornimmt. Eine Kennzeichnung der Jugend im Altersbereich von 14 bis 18 Jahren kommt unserem Anliegen sehr entgegen, weil damit Einschnitte erfaßt werden, die auch für das Sprachverhalten von wesentlicher Bedeutung sind. Mit der Jugendweihe, dem Personalausweis, dem Anspruch auf die Anrede mit „Sie" und einer bedingten Verantwortlichkeit für Vergehen sind sehr deutliche Signale gesetzt, daß Kinder nun keine Kinder mehr sind. Wurden sie aber damit wirklich in die Welt der Erwachsenen aufgenommen? Aufgenommen wohl schon, sie stehen jedoch noch etwas betreten an der Tür, müssen – um im Bilde zu bleiben – gelegentlich auch heftig anklopfen, um zum Nähertreten und Mitmachen aufgefordert zu werden.

Dieser Prozeß der Integration der Jugendlichen gehört sicher zu den schwierigsten Etappen im Leben eines jungen Menschen. Aber andererseits ist es auch für Jugendliche, die in einer gesunden, sozial gesicherten Atmosphäre aufwachsen, eine positive Erfahrung, ernst genommen zu werden, die eigene Entwicklung mitbestimmen zu können, nicht nur Kritik annehmen zu müssen, sondern auch eigene Erfahrungen einbringen zu können.

Es ist nur zu natürlich, daß diese Entwicklung nicht glatt verläuft, daß junge Leute in solchen Situationen überziehen, mehr Rechte fordern, als ihnen in diesen Entwicklungsjahren und zu ihrem Schutz zugebilligt werden können. Das reicht vom Wunsch nach langem Aufbleiben über die freie Verfügungsgewalt über Geld (das sie nicht selbst verdienen) bis hin zu Forderungen nach Alkohol- und Zigarettenkonsum.

Die Erwachsenen, die die Rechte verwalten, werden von den Jugendlichen mit kritischen Augen gesehen und – bei Inkonsequenzen ertappt. Das Erwachsensein wird angestrebt – man will alles ganz anders machen – und dann wieder in Frage gestellt. Es handelt sich um eine ganz normale Entwicklungsetappe im Leben der Jugendlichen, die aber oft die Weichen für das spätere Handeln stellt und im allgemeinen sehr intensiv durchlebt wird. Auflehnung, emotionale Schwankungen, ausgeprägte Originalitätssucht – auch im Sprachverhalten – sind oft die Folge dieser psychisch und intellektuell nicht bewältigten Situation. Übrigens muß sich das nicht immer dramatisch äußern. Indiz sind schon Elternseufzer der folgenden Art: „Ich weiß gar nicht mehr, was er macht. Nach der Schule verschwindet er wieder und kommt bloß zum Abendbrot." Auch: „Wenn es bei uns nur mal krachen würde, dann wüßte man wenigstens, was ihn bewegt." Oder sehr häufig: „Mir erzählt er ja nichts."

Aber wem erzählt er denn nun was?

Freizeitgruppe und Sprachverhalten

Ein wichtiger Bezugspunkt ist für Jugendliche die Gruppe Gleichaltriger (was nicht ganz wörtlich zu verstehen ist), die spontan zusammengekommene Freizeitgruppe, die Kumpels oder kurz: die Clique. Sie ist nur selten mit einer institutionalisierten sozialen Gruppe, der Schulklasse, der Sport-AG oder der FDJ-Gruppe identisch. Vielmehr sind es primär gemeinsame Freizeitinteressen, die Jugendliche dieses Alters zusammenführen, in einem Wohngebiet, in der Disko oder in einem Jugendklub.

In solchen Gruppen finden die Jugendlichen, was sie auf der Suche nach ihrem Platz in der Gesellschaft brauchen, nämlich eine Anerkennung ihrer wirklichen oder angenommenen Probleme durch andere, Probleme, die – was wichtig ist – nicht erklärt werden müssen, wie das Erwachsene gern fordern, sondern stillschweigend oder auch mit einem herzhaften sprachlichen Rippenstoß mitempfunden werden. Es sind die gleichen Sorgen, Nöte oder Freuden, die eine Clique verbinden. Man sollte nicht unterschätzen, wieviel Takt, gegenseitige Rücksichtnahme, emotionale Solidarität sich in solchen mitunter als recht lautstark empfundenen Gruppen entwickeln kann. Für viele Jugendliche ist es eine der härtesten Strafen, wenn ihnen der Umgang mit ihrer Clique verwehrt wird (wenn nicht gewichtige, einzusehende Gründe vorliegen).

Das Zentralinstitut für Jugendforschung hat festgestellt, daß entgegen allgemeinen Vorstellungen nicht das Fernsehen die dominierende Rolle im Freizeiterleben der Jugendlichen spielt. Nur Kinder einerseits und Erwachsene mit 30 und mehr Jahren andererseits sind festes Fernsehpublikum; für Jugendliche stehen Gruppenerlebnisse wie Tanzen, Kinobesuch, Spaziergänge in der Werteliste ganz oben.

Außerdem ist die Freizeitgruppe der Ort, wo es um Rangstreitigkeiten geht, wo Rivalitäten ausgetragen werden, wo der einzelne seinen Platz in einer sozialen Gruppe sucht und findet. Wer am originellsten die Gruppennorm vertritt, genießt das größte Ansehen. Deshalb sind Anreden wie

„He, Alter!" oder „Na, du Mond!", „Hallo, Puppe!" als freundschaftlicher Akt zu verstehen und kein Grund, beleidigt seiner Wege zu gehen. Und auch hinter Wendungen wie „Wenn ich so 'n Gesicht hätt', dann würd' ich mich beim Zoo melden" oder „Du hast wohl lange nicht aus dem Gips gelächelt!" wird selten ein Jugendlicher böswillige Absichten vermuten. Eher wartet die ganze Gruppe darauf, wer das letzte Wort hat, den besten sprachlichen „Gag landet". Der ist erst einmal ungekrönter Sieger, und das Gespräch kann sich wieder ernsthaften Dingen zuwenden.

Eine Studentin hat in einer Untersuchung nachgewiesen, daß derartige Ausdrücke selten Ausgangspunkt für ernsthafte Auseinandersetzungen sind. Oft empfindet es ein Jugendlicher als demütigender, wenn er nicht angesprochen wird, wenn man ihn nicht in das sprachliche Kräftemessen einbezieht, ihm also keine angemessenen Reaktionen zutraut. Es gibt Situationen, in denen ein Jugendlicher lieber hört, daß er „ein Rad ab" habe, also ‚nicht ganz richtig' sei, als daß er überhaupt nicht angesprochen wird. Das sind wichtige Motivationen für das Sprachverhalten Jugendlicher, die nicht immer nachvollziehbar sind. Allerdings sollte das Problem auch nicht verniedlicht werden. Wird das sprachliche Aufputschen zu einer Prestigefrage in der Gruppe, kommt es zu Mißverständnissen, sind Ausschreitungen nicht auszuschließen, ganz besonders, wenn der Alkohol mit im Spiel ist.

Auf diese Grundhaltung kann das mitunter unangenehm wirkende Zur-Schau-Stellen von Jugendlichen zurückgeführt werden, das Männchenmachen, das Imponiergehabe soll sowohl innerhalb der Gruppe wie auch nach außen wirken. Schließlich ist es auch kein unwichtiger Nebeneffekt, daß man damit das andere Geschlecht beeindrucken kann; man geht gleichzeitig ein bißchen auf die Balz oder auf die große „Anmache".

Jugendliche bilden aber nicht nur Freizeitgruppen. Die soziale Großgruppe Jugend ist in sich wieder differenziert und besteht aus verschiedenen sozialen Teilgruppen. Man unterscheidet POS- und EOS-Schüler, Lehrlinge, Studenten, junge Arbeiter und Wissenschaftler. Jede Gruppe hat ihre spezifischen Verhaltensnormen, ihre Zielvorstellungen und auch ein gruppenspezifisches Sprachverhalten. Ein Jugendlicher gehört danach gleichzeitig und nacheinander verschiedenen Gruppen an: einer Klasse oder Schule, einer Pionier- oder FDJ-Gruppe, einer Arbeitsgemeinschaft, einer Abteilung oder einer Familie – und eben häufig auch einer Freizeitgruppe. Von diesen verschiedenen Gruppen wird auch sein individuelles Sprachverhalten geprägt, und er gestaltet das der Gruppe mit. In der Ausbildungsphase wird Hochsprache gelehrt, die von fachsprachlichen Elementen durchsetzt ist. Jugendliche sind durchaus in der Lage, sich dieser hochsprachlichen Norm anzupassen. Erst im Bereich der nicht-institutionalisierten Gruppen entwickelt sich das jugendspezifische Sprachverhalten. Spontane Freizeitgruppen können sich aus Teilen von institutionalisierten Gruppen zusammensetzen, aus Mitschülern, Mitgliedern von Arbeitsgemeinschaften oder Betriebsangehörigen. Nicht mit Notwendigkeit verfügt eine Freizeitgruppe über ein auffälliges Sprachverhalten, aber sie ist doch der Nährboden dafür, was in diesem Rahmen als jugendspezifisches Sprachverhalten gekennzeichnet wird.

Die Zugehörigkeit zu einer Gruppe bewirkt zweierlei: einmal die Identifizierung mit einer Gruppe. Man kann „wir" sagen, was mitunter sehr stärkend wirkt. Es bedeutet Verstandenwerden und Aufwertung des eigenen Ich. Zum anderen ist damit auch eine Abgrenzung nach außen verbunden, gegenüber den anderen, die nicht dazugehören.

Möglicherweise hängt es mit dieser Besonderheit zusammen, daß die jugendliche Sprechweise immer wieder in den Bereich einer Sonder- oder Geheimsprache gerückt wurde und leider auch noch wird. Daß Jugendliche nicht sofort verstanden werden wollen, haben sie mit anderen sozialen Gruppen – man denke nur an Mediziner oder auch Skatspieler – gemein. Sie haben aber auch mit ihnen gemein, daß dieses Nicht-verstanden-werden-Wollen nicht als eigentlicher Zweck ihres Sprachverhaltens anzusehen ist.

Die Jugend ist also nicht über einen Kamm zu scheren.

Jede Teilgruppe entwickelt Eigenheiten, die sowohl Sprachliches wie Modisches, Einstellungen zu Mitmenschen wie Vorstellungen vom Leben, Ideale, Sehnsüchte und reale Alltagsprobleme berühren. Die Werteskala einer Gruppe umfaßt das, was für die Angehörigen dieser Gruppe wichtig ist, sie nimmt nicht auf, was sie nicht unmittelbar angeht. Das schließt nicht aus, daß das nicht für den einzelnen von größter Bedeutung sein könnte, aber dann gehört es in den Wertebereich einer anderen sozialen Gruppe – der Familie, der Schulklasse usw. Dieses Wertesystem bestimmt weitgehend die Norm des Verhaltens; man braucht das nur einmal in der Familie nachzuprüfen.

Diesen Verhaltensvorschriften paßt sich der einzelne an, und er muß – will er nicht mit der Gruppe in Konflikt geraten – diese Normen einhalten oder aus der Gruppe ausscheiden. Damit unterliegt der Jugendliche dem, wovor er eigentlich geflüchtet ist, nämlich einem mehr oder weniger strengen Verhaltenszwang. Allerdings ist in der Clique die Unterordnung freiwillig, denn die Gruppe vermittelt Gemeinschaftsgefühl. Auf den Sprachgebrauch übertragen heißt das, daß der Jugendliche am Normgefüge mitarbeitet, daß er originellen Wortschatz, ausgefallene Vergleiche und treffende Wendungen mit einbringen kann und soll, daß er aber auch verpflichtet ist, sich dieser selbstgeschaffenen Norm zu unterwerfen. Das ist u. a. ein Grund dafür, daß einzelne Wörter schnell die Runde machen.

Jugend und Modeerscheinungen

Ist also alles nur eine Frage der Zeit? Fliegen die Jugendlichen, wie Kästner sagt, „auf den ersten besten Mist"? Kann man das Ganze mit dem Stichwort „Modeerscheinung" abtun?
Für das einzelne Wort oder eine Wendung mag das zutreffen. Erinnert sei nur an die Mode, ein junges Mädchen *Zahn* zu nennen. Daraus resultierten Benennungen für ein ganzes

Gebiß: *Milchzahn* = sehr junges Mädchen, *Fangzahn* = stolzes Mädchen usw. Heute werden Mädchen als *Weib, Käte* oder *Alte* bezeichnet. Geblieben ist die Vorliebe für jugendspezifische Benennungen für Mädchen. Sie sind eben wichtig für das Jugendleben!

Anders entwickelten sich die Modewörter der 50er Jahre wie *Klasse, prima, toll.* Waren Wörter wie *prima* oder *toll* damals als bedeutungslose Wertungen verpönt, gehören sie heute zum allgemeinen Wortschatz der Erwachsenen.

Eine besondere Entwicklung hat das Substantiv *Klasse* genommen. Abgeleitet von der Gradeinteilung *1. Klasse,* wurde es als allgemeines positives Werturteil gebraucht: *Die Sängerin ist (1.) Klasse.* Danach entwickelte sich aus dem Substantiv ein Adjektiv, das klein geschrieben wurde: *Die Sängerin ist klasse.* Oder auch *eine klasse Sängerin.* Eine analoge Entwicklung finden wir heute bei Wörtern wie *Sahne, Spitze, Messe* oder *Traum.* Jugendliche schreiben mit der größten Selbstverständlichkeit: *Der Film ist traum. / Heute war es wieder sahne.* Daraus kann eine Schlußfolgerung abgeleitet werden: Der Wortschatz der Jugendlichen unterliegt – genau wie bei den Erwachsenen – bestimmten Modeströmungen. Allerdings wirken die Wörter der Jugendlichen kräftiger, stärker in ihren bildhaften Vergleichen, treffen besser den „Ton". Nicht zuletzt deswegen werden sie so gern von den Erwachsenen übernommen, die damit zur Verbreitung dieser Modewörter beitragen. Mag aber auch das einzelne Wort schnell wieder aus dem Sprachgebrauch verschwinden, gewisse Trends bleiben.

Die Herkunft dieser speziellen Wörter ist nur in seltenen Fällen nachzuweisen, da im Prinzip jede sprachliche Erscheinung geeignet ist, als Modeerscheinung verwendet zu werden. Das können Dialektwörter sein, Wörter und Wendungen aus dem allgemeinen Wortschatz, die von Jugendlichen umgeformt oder umgedeutet werden, und schließlich gehören auch Anglizismen und Amerikanismen dazu.

Film, Funk und Fernsehen haben hier Vorbildwirkung. Das hängt auch mit der Alterssituation zusammen. Mit 14 Jahren können die Jugendlichen häufiger Abendsendungen – vorrangig Unterhaltungssendungen – im Fernsehen konsumieren, sie sehen bestimmte Filme und besitzen einen eigenen Kassettenrecorder, wodurch sie besonders beliebte Titel immer wieder abspielen können. Die Massenmedien sind also durchaus an Aufkommen und Verbreitung dieser Modewörter beteiligt. Einige Jugendliche führen beispielsweise eine gehäufte Verwendung der positiven Wertung *Wahnsinn* auf den beliebten Film „Beat Street" zurück.

Jugendspezifisches Sprachverhalten ist wie Kleidermode, Haartrachten oder die Bevorzugung bestimmter Musikrichtungen eine internationale Erscheinung. Es ist eine Tatsache, daß durch eine starke Vermarktung der jugendlichen Interessen in der BRD Einfluß auf den Wortgebrauch in anderen deutschsprachigen Ländern ausgeübt wird. Es ist aber ebenso eine Tatsache, daß oft nur die sprachlichen Hüllen, die als immer wiederkehrende Reizwörter als sehr eingängig von den Jugendlichen in der DDR zwar übernommen, aber mit neuen, den gesellschaftlichen Realitäten entsprechenden Inhalten versehen werden. Dazu gehören z. B.:

Joint – Haschisch (BRD); Zigarette, Kaffee (DDR)
Stoff – Droge (BRD); Geld, Getränk (DDR)

Wichtig für die Einprägsamkeit ist, daß durch das Wort oder die Wendung eine Situation oder Haltung deutlich umrissen wird. Wenn man modern sein will – und wer will das nicht von den Jugendlichen? –, muß man hin und wieder ein gerade gängiges Wort gebrauchen.

Da die Übernahme nicht immer gleichzeitig mit der Kenntnis der Situation erfolgt, kann es zu Gebrauchsüberschneidungen kommen, die bei dem Wort *ätzend* zu beobachten waren. Jugendliche gebrauchten anfangs das Wort in positiver *und* in negativer Wertvorstellung oder – als Variante dazu – weder positiv noch negativ, sondern im Sinne von ‚außergewöhnlich', ‚aufregend'. Erst in letzter Zeit hat sich der Gebrauch bei der negativen Bewertung eingepegelt. Eine solche Unentschiedenheit in der Verwendung ist Indiz für die Verbreitung eines Einzelwortes und bei mündlichem Sprachgebrauch häufiger zu beobachten. Erst in der schriftlichen Form, in Briefen, Massenmedien oder Büchern, verdeutlicht der Kontext die Bedeutung dieser Wörter. Aber – und das ist ein wichtiger Faktor beim Verständnis des jugendlichen Sprachverhaltens – sobald ein Wort erst einmal schriftlich verwendet wird (außer in sehr privaten oder sehr emotional gefärbten Briefen), ist es für Jugendliche schon kein Jugendwort mehr, ist es in einem sehr strengen Sinne schon nicht mehr jugendspezifisch. Es veraltet und scheidet aus dem aktiven Sprachgebrauch aus (vgl. *Zahn*) oder wird Bestandteil der allgemeinen Alltagssprache.

Letzteres kann man zum gegenwärtigen Zeitpunkt sehr gut an dem Wort *echt* ablesen. Von Jugendlichen in der Bedeutung ,sehr', ,sehr gut', ,wirklich', aber auch als Aufforderung zum Zuhören gebraucht, fand es bald Eingang in die saloppe Alltagsrede der Erwachsenen und gehört heute schon in die gehobene mündliche Kommunikation; diese Bedeutungsvariante wird sicher auch bald in den einschlägigen Wörterbüchern auftauchen. Erwachsene distanzieren sich beim Gebrauch mitunter noch mit der Floskel „Wie man so schön sagt" von einer spontanen Anerkennung des Wortes. Für den Siegeszug von *echt* seien zwei mögliche Ursachen genannt. *Echt* hat eine ausgeprägt emotionale Komponente, die durch ähnliche Wörter (sehr, wirklich, gut) nicht abgedeckt wird. Zwischen den beiden folgenden Beispielen besteht ein bemerkenswerter Unterschied im Inhalt der Aussage, aber auch in der Einstellung des Sprechers zu dem, was er sagt:

Der Junge hat sich sehr angestrengt.
Der Junge hat sich echt angestrengt.

Für das Weiterleben von jugendspezifischen Ausdrücken in der Alltagsrede der Erwachsenen lassen sich auch noch andere Ursachen nennen. Soziale Sicherheit und Fürsorge, das Eingebundensein in ein Arbeitskollektiv über viele Jahre lassen Eltern länger jung bleiben; Großeltern sehen gar nicht wie Oma und Opa im Märchenbuch aus, Mutter und Tochter bevorzugen die gleichen modischen Attribute. Warum sollte es im Sprachverhalten anders sein? Eltern passen sich auch sprachlich an, geben sich in ihrer Sprechweise jugendlich und greifen beliebte Wörter auf, um sich mit ihren Kindern auf einer Ebene zu verständigen. Sie vergessen dabei allerdings, daß sie damit dieses Wort den Jugendlichen wegnehmen und sie somit zwingen, dafür Ersatz zu schaffen: ein Kreislauf, der die Schnellebigkeit einzelner Wörter und Wendungen nicht unwesentlich beeinflußt.

Diese an und für sich positive Erscheinung kann aber auch zu einer Unsitte führen, wenn jugendspezifischer Wortschatz aus dem Zusammenhang gerissen, nachgeahmt und bzw. oder in unzulässiger Häufung gebraucht wird. Es ist wie mit dem Vogel, der sich gern mit fremden Federn schmückt! Alles paßt nicht für jedermann und überall.

Ein anderer Gesichtspunkt kann deutlich machen, daß die Erwachsenenrede geradezu mit Notwendigkeit von jugendspezifischen Ausdrücken durchsetzt wird. Jugendliche bleiben nicht immer Jugendliche, sie werden mit etwa 18 Jahren Mitglieder neuer Arbeits- und Lernkollektive, die sich nicht nur aus Jugendlichen zusammensetzen. Die gewohnten Freizeitgruppen lösen sich auf, die Jugendlichen übernehmen Verantwortung, erziehen eigene Kinder und versuchen ihnen Vorbild zu sein – auch sprachlich.

Aber die Jugendlichen ändern nicht schlagartig ihr Sprachverhalten; gewohnten Wortschatz behalten sie bei, nehmen ihn mit in die neuen Kollektive und verbreiten ihn so unter den Erwachsenen, die ihn gewöhnlich wegen seines exotischen Charakters begierig aufnehmen – der Kreislauf ist geschlossen. Damit erhält ein Teil des jugendspezifischen Wortschatzes Allgemeingültigkeit. Das schließt nicht aus, daß die Hauptbenutzergruppe die Jugendlichen bleiben, wie das z. B. bei *echt* der Fall ist.

Ein einzelnes Wort ist nicht immer aussagekräftig. Jugendliches Sprachverhalten ist im Zusammenhang mit Mimik und Gestik zu sehen; ebenso wie Kleidung, Frisuren und spezielles modisches Beiwerk eine deutliche Sprache sprechen. Zum Beispiel ist die Wendung *Und dann machte ich diesen* generell mit einer verdeutlichenden Handbewegung gekoppelt, die die entsprechende Handlung andeutet:

schlafen, umfallen, sich übergeben, sich bei jemandem anlehnen usw.

Auch die Wendung *Der war gut* kann sich auf einen Wortwitz, eine Handlung, eine Reaktion oder ein Mißverständnis beziehen, *der* kann alles Mögliche sein.

Verschiedene Teilgruppen geben sich ein unverwechselbares Äußeres durch Lederkleidung, durch einen Grundton Schwarz in allen Kleidungsstücken, durch regenbogenfarbige Haarschöpfe oder durch Schnürstiefel; sie (Jungen und Mädchen) tragen ihr Haar entweder kurz oder extrem lang und schwören auf einige Musiktitel, die die einzig akzeptablen sind. Sie nennen sich selbst Punker, Tramper oder Softies, ohne recht zu wissen, was sie darunter verstehen sollen. Wichtig ist wohl vor allem das Sichabheben von anderen, die ganz spezielle eigene Gruppennote. Dazu wieder ein Beispiel aus der Straßenbahn:

„Guten Tag!“

„Guten Tag! Wie seid ihr denn am Sonntag noch heimgekommen?“

„Ach, danke, sehr gut. Und ihr?“

„Danke, ja, doch, auch gut. Es kam noch ’ne Bahn.“

„Ach, ja? Da habt ihr Glück gehabt.“ usw., usf.

Das wäre an und für sich noch nicht bemerkenswert, wenn es sich nicht um Jugendliche gehandelt hätte, die mit überweiten Pluderhosen und mit blonden Strähnen (es waren Jungen!) eingefärbtem und mit Zuckerwasser oder Gel gestyltem Haarschopf auffallend genug waren. Die Erwartungshaltung manches Zuhörers war also auf lautstarke Jugendliche orientiert, die sich mit einem höchst auffallenden Wortschatz verständigen. Allerdings sind diese „feinen“ Dialoge keine absolute Ausnahme. Einzelne Hörbelege mit altertümelnder Ironisierung lassen zumindest aufhorchen: *„Du bist aber wieder gar garstig zu mir.“ „Wollen wir nicht eine Rast einlegen?“* (hier: ‚ein Bier trinken‘) u. a. m. Vielleicht sind sie gerade das Neueste, der letzte Schrei, zumindest für einzelne Teilgruppen? Jugendliche sind immer für eine Überraschung gut.

Dieses Nebeneinander von Extremen ist etwas durchaus Jugendspezifisches und kann sich in der Gesamtheit zu einem harmonischen Ganzen fügen. Jugendliche der 60er Jahre revoltierten gegen die Kleiderordnung des Krawattenzwangs – und zwängten sich scharenweise in zu enge Jeans. Ulrich Plenzdorf hat das in seinem Buch „Die neuen Leiden des jungen W." in Worte gefaßt: „Jeans sind die edelsten Hosen der Welt. Dafür verzichte ich doch auf die ganzen synthetischen Lappen aus der Jumo, die ewig tiffig aussehen. Für Jeans könnte ich überhaupt auf alles verzichten, ... Ich meine natürlich echte Jeans ... Wer echter Jeansträger ist, weiß, welche ich meine. Was nicht heißt, daß jeder, der echte Jeans trägt, auch echter Jeansträger ist. Die meisten wissen gar nicht, was sie da auf dem Leib haben. Es tötete mich immer fast gar nicht, wenn ich so einen fünfundzwanzigjährigen Knacker mit Jeans sah, die er sich über seine verfetteten Hüften gezwängt hatte und in der Taille zugeschnürt."

Heute sind andere Themen an der Tagesordnung, aber die Konsequenz der Einstellung ist geblieben. Wenn Plenzdorf der Meinung ist, daß er sein Buch heute nicht mehr so schreiben würde, dann liegt das nicht nur an der Sprache. Die Jeans-Problematik ist in dieser Form heute kein Thema mehr. Wenn also über jugendspezifisches Sprachverhalten gesprochen wird, dann ist das Was ebenso wichtig wie das Wie. Erst beides zusammen macht die eigentliche Jugendspezifik aus.

Die Kraft der Wörter – sprachliche Signale seit Generationen

Bei der Suche nach den Ursprüngen der jugendspezifischen Sprechweise stößt man gelegentlich auf Hinweise, daß die Jugend „schon immer" nach *ihren* Ausdrucksmitteln gesucht und sie auch gefunden hat. Wie wäre sonst beispielsweise eine Periode des Sturm und Drang zu verstehen. Untersuchungen zum Sprachverhalten haben dabei allerdings

23

Seltenheitswert. Deshalb ist ein Text aus der Erzählung „Unordnung und frühes Leid" von Thomas Mann, dem großen Sprachkenner, aus dem Jahre 1925 sehr aufschlußreich: „... und die Großen verhandeln im Jargon des Kreises, einem Rotwelsch voller Redensartlichkeit und Übermut, von dem die ‚Greise' selten ein Wort verstehen." Die „Großen" sind die beiden großen Kinder, Studenten, und die „Greise" sind natürlich die Eltern, die auch schon vor über 50 Jahren ihre Kinder nicht immer verstanden haben.

Thomas Mann liefert auch gleich ein Beispiel für die „Redensartlichkeit" der Jugendlichen: „‚Herr Professor' sagt er im Tone aller Hergesells und dienert jugendlich, ... wollen Sie ausgehen? Das ist eine ganz blöde Kiste mit meinen Pumps, sie drücken wie Karl der Große. Das Zeug ist mir einfach zu klein, wie sich herausstellt, von der Härte ganz abgesehen. Es drückt mich hier auf den Nagel vom großen Zeh', sagt er und steht auf einem Bein, während er den anderen Fuß in beiden Händen hält, ‚daß es knapp in Worte zu fassen ist. Ich habe mich entschließen müssen, zu wechseln, die Straßenschuhe müssen nun doch dran glauben ... Oh, darf ich Ihnen behilflich sein?' –, Gleich tanze ich wieder mit Lorchen', ruft Hergesell ihm noch nach. ‚Das wird mal eine prima Tänzerin, wenn sie in die Jahre kommt. Garantie!'" Und der Herr Professor geht, entzückt von der Höflichkeit des jungen Mannes, der ihm beim Anziehen behilflich ist, andererseits etwas entnervt vom „Jargon des Kreises".

Die Ähnlichkeit mit unserem Ausgangstext liegt auf der Hand. Jugendliche der 80er Jahre würden sicher einige Wörter austauschen: *die Botten* wären *der blanke Horror* oder *echt belastend* und *drückten wie 1 000 000 Mann*, die prima *Tänzerin* Thomas Manns würde *sich irre schaffen*. Der ganzen Aussage würde mit einem *echt mal* oder *ehrlich* Nachdruck verliehen.

Einiges kann man im jugendspezifischen Sprachverhalten offenbar verallgemeinern. Dazu gehört eine gewisse Breite der Darstellung, die den Sachverhalt immer von neuem dreht und wendet, ohne etwas Neues zu sagen. Auch eine merkwürdige Mischung zwischen gehobener und salopper

Sprechweise ist typisch für diese Ausdrucksweise: *sich ent-schließen müssen zu wechseln, darf ich Ihnen behilflich sein – blöde Kiste, das Zeug* usw. Ebenso typisch ist die Wertung dessen, worüber gesprochen wird, entweder durch wertende Adjektive *(blöde)*, durch übertreibende, originelle Vergleiche *(drücken wie Karl der Große)*, auch gewagte sprachliche Verknüpfungen haben wertende Funktion *(die Straßen-schuhe müssen dran glauben)*. Daß der nachdrückliche Ab-schluß *(Garantie!)* auch dazuzurechnen ist, versteht sich fast von selbst. Hinter jeder Wendung steht auf jeden Fall die Lust am Sprachspiel, der Wunsch, durch außergewöhnlichen Sprachgebrauch zu verblüffen und sich – und das, was man zu sagen hat, – ins rechte Licht zu setzen. Es hat sich in den Jahren nichts daran geändert. Mancher Jugendliche ist vielleicht sogar enttäuscht, daß er gar nicht so originell ist, wie er geglaubt hat.

Wenn Thomas Mann in den meisten Dingen auch Recht hat, so sollte man jugendspezifisches Sprachverhalten doch nicht in die Nähe des Rotwelschen rücken. Rotwelsch, die Ge-heimsprache der Bettler, Gauner und umherziehenden Händler, ist aus ganz anderen Beweggründen entstanden als die Jugendsprache. Das Rotwelsch entwickelte sich aus der Not der Unterdrückten, sich gegen eine übermächtige Ob-rigkeit wehren zu müssen. Landstreicher ohne Arbeit ver-ständigten sich darüber, wo eine Schlafstelle, wo ein freigebi-ger Mensch zu finden war. Wehrlose Gefangene entwickel-ten Zeichensysteme, um ihr schweres Los zu erleichtern. Wer jugendliches Sprachverhalten in die Nähe von Sonder-sprachen wie das Rotwelsch rückt, läuft Gefahr, Jugendli-chen ähnliche Motive wie den genannten Gruppen zu unter-stellen. Andererseits werden Jugendliche so oft falsch oder überhaupt nicht verstanden, daß der Gedanke, sie würden gezielt eine Geheimsprache entwickeln, mit großer Hartnäk-kigkeit immer wieder aufgegriffen wird. Deswegen hat sich auch die Bezeichnung ,Jugendsprache' sehr schnell durchge-setzt (sicher in Anlehnung an Geheim-, Bettler-, Soldaten-, Schüler- und Studentensprache), obwohl es sich vorrangig um einen spezifischen Wortschatz mit bestimmten grammatischen Verwendungsvarianten handelt. Jugendliche nehmen aus Fachsprachen, Mundarten, dem Wortschatz der allgemeinen Umgangssprache, aus Fremdsprachen und u. U. auch aus Gruppensprachen wie dem Rotwelschen Wörter und Wendungen und deuten und formen sie nach ihren Bedürfnissen um, wenn ihnen im Allgemeinwortschatz kein geeignetes sprachliches Mittel zur Verfügung steht. Dabei handelt es sich nicht um bloße Übersetzungen aus der Hochsprache, sondern um einen Wortschatz, der auch Spezifisches zum Inhalt hat. Es fehlen heute noch befriedigende Untersuchungen darüber, wie die Bedürfnisstruktur der Jugendlichen in diesem Bereich aussieht. Über Jahrzehnte hinweg läßt sich nachvollziehen, daß bestimmte Bereiche immer wieder das Interesse der Jugendlichen auf sich gezogen haben. Das sind: Mädchen / Jungen, Freundin / Freund, Eltern, Geld, Musik, Fahrzeuge. Die größte Variationsbreite haben positive oder negative Wertungen. Es ist nicht immer ganz leicht, dem einzelnen sprachlichen Element seinen richtigen Stellenwert im jugendlichen Sprachgefüge zuzuordnen. Im Detail ist es schwierig, Wertvorstellungen der Jugendlichen zu erfassen, nicht immer ist die Werteskala einer Kleingruppe, wo jeder jeden kennt, verallgemeinerbar.

Bei einer Befragung von willkürlich ausgewählten Jugendlichen, was denn ein *irrer Typ* sei, zeigte sich das besonders deutlich. Abgesehen von der generellen Schwierigkeit, die Jugendliche haben, wenn sie ihren Wortschatz „übersetzen" sollen, wurden die verschiedensten Erklärungen abgegeben: Benennung für Jungen, für Jungen und Mädchen, für Jungen und Mädchen mit besonderen Eigenschaften, Jugendliche bis ca. 18 Jahre,. Jugendliche und Erwachsene männlichen Geschlechts usw. An Eigenschaften wurden aufgeführt: vorbildlich, anders als die anderen, cool, paßt sich nicht an, kann sich gut anpassen, macht alles mit, liebt das Besondere. Es bleibt nur der Schluß, daß jeder seinen *irren Typ* bei der Erklärung vor Augen hatte, der möglicherweise mit der Bandbreite gut – schlecht gar nicht zu erfassen ist. Und trotzdem funktioniert die Verständigung unter den Jugendlichen gewöhnlich ohne Probleme. Die Spezifik muß also noch an anderen Kriterien zu messen sein. Vielleicht gibt darüber folgender Dialog aus dem Radio mehr Aufschluß:

Sohn: „Schnallste, wat ik sage?"
Vater: „Nee, nich so richtig. Een Eierschneider?"
Sohn: „Ach, det is ne Klampfe. Jitarre uf hochjermanisch."
Vater: „Und warum erzählste das denn nicht uf hochjermanisch?"
Sohn: „Det kommt nich mit Kraft. Det jeht steil nach hinten los. Du mußt die Macht von de Wörters richtig erkenn!"

Das ist – wenn vielleicht auch nicht ganz realistisch formuliert – das ganze Anliegen: Mit Kraft die Macht – Power! – der Wörter auskosten. Auch wenn es nicht immer elegant klingt (Kraft ist nicht unbedingt mit Eleganz gekoppelt). Aber es ist vollkommen eindeutig und nachvollziehbar, wenn etwas *steil nach hinten losgeht*. Mag das Bild auch logischen Nachfragen nicht standhalten – geht nicht etwas steil nach oben los? –, es kommt wirklich mit Kraft.
Am Einzelwort läßt sich oft und gut die Besonderheit des Jugendspezifischen ablesen. Dabei ist aber nur die Spitze des Eisberges erfaßt. Die nur selten geglückten Versuche, in der Belletristik Jugendsprache anzuwenden, zeigen deutlich, daß es nicht an der Verwendung des Einzelwortes liegt, sondern daß vor allem der Ton der Jugendlichen getroffen werden muß.
Erst das ausgewogene Verhältnis von Einzelwort und Text, das Zusammenspiel von Wortschatz und Grammatik, das delikate Verhältnis von Alltagssprache und jugendspezifischer Wendung als sprachliches Signal machen aus Alltagstexten Jugendtexte. Signale sind nicht nur die schrillen, aufreizenden Modewörter, sondern oft auch die Zusammenstellung einer Wortgruppe, bestimmte Frequenzen im Gebrauch, die Abweichung einer Bedeutung vom allgemeinen Usus und schließlich auch das, was nicht ausgesprochen wird.
Die Sammlung einzelner Wörter und Wendungen ist aber erst einmal wichtig und nützlich, um einen Zugang zur Sprechweise der Jugendlichen zu finden. Diese Einzelwör-

ter haben zwei wichtige Funktionen: die Markierung der Werteskala von Jugendlichen und die Signalfunktion in Texten, die dadurch als jugendspezifische Texte identifiziert werden können. Dieser Signalcharakter kann so eindrucksvoll sein, daß er die gesamte Textbeurteilung beeinflußt. Jugendliche und Erwachsene haben beispielsweise einen Text aus der saloppen Alltagsrede eindeutig als solchen eingeordnet; der gleiche Text mit einem jugendspezifischen Modewort wurde generell als Jugendtext identifiziert (wobei die Jugendlichen bemerkenswerterweise nicht immer sicher waren in ihrer Einschätzung). Diese Überbewertung eines einzelnen sprachlichen Signals kann aber auch zu Fehlinterpretationen führen. In Jugendbüchern werden noch zu oft solche Signalwörter (oder leider auch Vulgarismen) aneinandergereiht, um den jugendlichen Ton zu treffen. Jugendliche urteilen eindeutig über solche mißglückten Versuche: „Wir verstehen das zwar, aber wir reden nicht so!" Es genügt offensichtlich, jugendspezifische Signalwörter sparsam zu verwenden – dann aber am richtigen Platz. Das führt folgerichtig zu Untersuchungen, die über Wortsammlungen hinausgehen und ganze Texte in den Mittelpunkt des Interesses rükken. Bei der Arbeit am Wortschatz der Jugendlichen sind allerdings noch Fragen offen.

Woher kommen die Wörter?

Darauf zu antworten ist im allgemeinen leicht, aber manches Detail fehlt noch.
Die jugendspezifische Sprechweise basiert auf dem System der deutschen Gegenwartssprache, wie es in der DDR gebraucht wird. Das bedeutet, daß die Jugend kein eigenes sprachliches System entwickelt, das vorhandene aber entsprechend den eigenen Interessen verwendet. Die vorhandenen sprachlichen Mittel werden so umgeformt, teilweise entstellt, neu zusammengefügt und mit veränderten Bedeutun-

gen versehen, daß ein gruppenspezifisches Inventar entsteht, das nicht allgemein verständlich ist.

Dabei werden bestimmte sprachliche Mittel bevorzugt angewandt:

a) Umdeutungen sind das übergreifende, generelle Prinzip, wodurch sprachliche Mittel für den gruppenspezifischen Gebrauch aufbereitet werden. Es ist ein bekannter Vorgang, daß einem Wort eine neue Bedeutung zugeordnet wird. Nicht immer ist dabei nachzuvollziehen, aufgrund welcher gedanklichen oder äußeren Vorgänge die Übertragung erfolgt, z. B. *Zahn* = Mädchen, *Hirsch* = Motorrad. In anderen Fällen kann man die Gedankenkette mitverfolgen, z. B. *geil* = sehr gut / allgemeine positive Wertung; dazu kommt der Nebeneffekt, daß Erwachsene durch den Gebrauch des Wortes geschockt werden können, was sicher zu dessen Beliebtheit beigetragen hat.

b) Im Prozeß der Umdeutung fällt die Tendenz zur Polysemie auf. Da Jugendliche (wie auch andere soziale Gruppen) nicht beliebig neuen Wortschatz erfinden können, sind sie gezwungen, den vorhandenen Wörtern neue Bedeutungen zu unterlegen. Bei sehr beliebten Formen werden gleichzeitig einem Wort mehrere Bedeutungen zugeordnet, deren Einzelbedeutung erst im Text konkretisiert werden kann, z. B. *Asche* = pulveriger Rückstand verbrannter Materie (nach dem Wörterbuch der deutschen Gegenwartssprache). Jugendspezifisch gibt es dazu u. a. folgende Bedeutungsvarianten: Geld, Ärger, Unsinn; negative Wertung.

c) In ihrer Bedeutung veränderte Wörter werden häufig in festgefügten Wort- und Satzformen verankert: *Du hast wohl lange nicht mit einer Krankenschwester geflirtet?*, *einen Riß in der Schüssel haben, etwas hohl finden*. Dazu gehören auch bekannte Wendungen, die nur einzelne Elemente verändert haben: *einen im Tee haben.*

d) Gerade diese festen Formen verführen zu Analogiebildungen. Vor allem, wenn eine Grundstruktur erst einmal erfolgreich verwendet wurde, werden nach diesem Muster neue Ausdrücke gebildet: *Ich denk', mein Sparschwein quiekt / mein Hamster bohnert / mein Trecker humpelt*

u. a. m.; *etwas geht auf den Docht / den Keks / die Ketten / aufs Schwein* usw.; *das geht los wie 's Tier / wie in Turnschuhen / wie Ziesche / wie 'ne Tüte Senf.*

e) Der jugendspezifische Wortschatz wird aber nicht nur dem Allgemeinwortschatz der deutschen Gegenwartssprache entnommen, sondern auch aus Sonderwortschätzen verschiedenster Bereiche (meist in leicht veränderter Form). Dazu rechnen wir Fachwörter aus verschiedenen Berufen: *etwas drauf haben* (Musik), *jemandem einen Scheitel ziehen* (Friseur).

Auch Regionalismen (Wörter, die noch ihre ehemalige Zugehörigkeit zu einer Mundart erkennen lassen) sind in jugendlichen Gesprächen anzutreffen und werden von anderen nachgeahmt. Dabei hat die Berliner Stadtsprache generelle Vorbildwirkung; Berlin wird von den meisten Jugendlichen als Umschlagplatz für neue Ausdrucksmittel angesehen. So ist ein großer Teil des vorliegenden Materials zuerst in Berlin gebraucht worden *(fetzt, poppt)*, obwohl hier keine Beispiele aufgenommen wurden, die nicht auch außerhalb Berlins Verwendung finden. In den nördlichen und südlichen Bezirken der DDR werden Dialektwörter bei Jugendlichen gezielt in jugendspezifischen Texten eingesetzt. Es liegen noch keine gesicherten Untersuchungen vor, aber es sprechen einige Indizien dafür, daß die derzeit zu beobachtende Hinwendung der Jugendlichen zum Dialekt auch mit dem Wunsch zusammenhängt, sich von den Stadtsprachen zu distanzieren. Dadurch erhalten die Dialektwörter einen neuen sozialen Status. So kann es passieren, daß sächsisches *rumlabern* in Berlin als jugendspezifisch eingestuft wird.

Und schließlich ist nicht zu leugnen, daß einzelne Wörter aus dem Rotwelschen kommen und jugendspezifisch interpretiert werden, z. B. alle Wendungen mit *Bock*, eventuell ist auch *fetzen* dazuzurechnen.

f) Auch A r c h a i s m e n (Wörter und Wendungen, die im Sprachgebrauch veralten oder schon veraltet sind) werden von Jugendlichen wiederentdeckt und notfalls uminterpretiert. Die Ursachen für das Veralten sind unterschiedlich. Einmal veralten Wörter, weil die damit bezeichneten Gegenstände nicht mehr existieren oder weil neue Wörter die alten verdrängen, nachdem sie einige Zeit nebeneinander existierten. Eine andere Ursache scheint zu sein, daß Wörter und Wendungen nur noch in einer sehr gehobenen Stilschicht Verwendung finden und durch die Seltenheit des Gebrauchs langsam in Vergessenheit geraten. Dazu gehören z. B.:

Klampfe – Konzert- oder Elektrogitarre
Grimm haben – sich ärgern
Rast machen – in eine Kneipe gehen

g) Wie in der deutschen Gegenwartssprache allgemein, so läßt sich auch in der Sprechweise der Jugendlichen beobachten, daß W ö r t e r und W e n d u n g e n aus F r e m d s p r a c h e n aufgegriffen und den eigenen Bedürfnissen angepaßt werden: *cool, Freak, No future.* Viele Wörter werden über den Bereich der Musik eingeschleust: *Sound, Feeling.* Witzig sind Eindeutschungen oder gemischte Formen: *losjumpen, high – Hai – Tee-Hai* (Liebhaber von Tee).

h) Schließlich sei noch auf bestimmte W o r t b i l d u n g s m o d e l l e und g r a m m a t i s c h e U m d e u t u n g e n verwiesen, die in der Sprechweise der Jugendlichen sehr produktiv sind:

Vorsilben:
ab- *abducken, abmatten* – schlafen
     abfahren auf etwas – etwas gefällt
     ablachen – sehr lachen
rum- *rumhängen* – sich langweilen, sich befinden
     rummotzen – sich aufregen, schimpfen
weg- *wegfaulen* – sich wundern
     sich wegschmeißen, -fetzen – sehr lachen, sich wundern

Substantive als Adjektiv gebraucht:
Diese Veränderung erfahren in der Sprechweise der Jugendlichen besonders beliebte und daher häufig verwendete wertende Substantive, die dann nicht nur als Teil des Prädikats, sondern auch – wie ein Adjektiv – als nähere Bestimmung anderer Substantive Verwendung finden, z. B.:
Die Gruppe ist Sahne.

Das ist 'ne sahne Gruppe.
ähnlich: Messe, Null, Traum, Welt

Adjektive, die zu Verben werden:
Auch diese Umformung kann in ihrer Spezifik nur innerhalb
der Gruppe verstanden werden.
faul – faul sein – faulen
Ich faule heute. (Ich mache heute nichts.)
dazu: *wegfaulen – Ich könnte wegfaulen.* (Ich wundere
mich.)

Inhaltliche Gliederung der Wörter und Wendungen

Jugendliche treffen sich

Sie beginnen ein Gespräch

Hallo!

Hallo! Wie geht's?
▷ Begrüßung für Einzelpersonen und Gruppen
syn.: Ahoi! Hallo again! Hei! Na, du/ihr! Salut! Salve! Schalom! Servus! Gruß!

Tritt ein einzelner zu einer Gruppe und will sich am Gespräch beteiligen, zieht er die Aufmerksamkeit mit einer Einleitefloskel auf sich.

Eh/Ejh

Eh, haste den Film auch gesehn?
syn.: Also ..., Also, echt mal jetzt ..., Ehrlich ..., He ...,
eh ..., Na, Fakt ...

Sie reden sich freundschaftlich an

Die Anrede ist gewöhnlich mit einer Begrüßung oder Einleitefloskel verbunden.

Tussi

Eh, Tussi, tanz mer mal?
▷ Anrede für Mädchen
syn.: Alte, Käte, Schwester, Süße, Torte, Zarte

Kumpel

Hallo, Kumpel, haste mal 'ne Lulle?
▷ Anrede für Jungen
syn.: Alter, Eumel, Flachsauge, Freak, Socke, Torte, Zarter

Leutschers

He, Leutschers, habt ihr die Tussis gesehen?
▷ Anrede für Jungen und Mädchen
syn.: Fans, Kumpels, Leute, Massen

Ist die Anrede negativ gemeint und als Schimpfwort zu verstehen, wird sie gewöhnlich mit „du"/„ihr" oder „du alte(r)" gekoppelt, was sehr nachdrücklich wirkt.

Gesichtseimer

Eh, du Gesichtseimer! Was machst'n da?
▷ negative Anrede bzw. Schimpfwort für Jungen
syn.: Arsch, Buschplahudi, Chaote, Flaschenhals, Gesichtsfünf, Hohlroller, Keim, prasseldummes Pförtnerkind, tote Hose, du alter Schneckenschiß

Schnalle

He, du alte Schnalle! Schnüffel hier nicht rum!
▷ negative Anrede bzw. Schimpfwort für Mädchen
syn.: prasseldummes Pförtnerkind, alte Schlampe, Schreckschrulle, Spinatwachtel

Knackies

Hallo, ihr Knackies!
▷ negative Anrede bzw. Schimpfwort für eine Gruppe, Zurückweisung
syn.: Assis, Chaoten, Gipsköppe, Hohlroller

Wir wollen hier kein Wörterbuch der Schimpfwörter zusammenstellen, der kleine Ausschnitt soll genügen. Viele Kleingruppen konstruieren ihre individuellen Anreden, die nicht unbedingt verallgemeinerbar sind, und gebrauchen sie großzügig als allgemeine Anrede oder als Schimpfwort. Es ist deshalb nicht immer eindeutig festzustellen, wann eine Anrede zu einer negativen Wertung oder gar zum bösartigen Schimpfwort wird. Jugendliche können das je nach Situation sehr genau einschätzen, für einen Außenstehenden ist das schon schwerer. Dazu ein Beispiel:

Eh, du Arsch!

> (1) Eh, du Arsch! Hau ab, du hast hier nichts zu suchen!
> (2) Eh, du Arsch! Hab dich lange nicht gesehn. Warum kommste denn nicht mal?

Im Beispiel (2) wirkt die Anrede – vor allem, wenn sie von einem freundschaftlichen Rippenstoß oder einer ähnlichen Geste begleitet ist – freundschaftlich-salopp. Das Vulgäre an dem Ausdruck wird kaum bewußt, dagegen soll (1) bewußt vulgär wirken, damit es als eindeutige Drohung verstanden wird.

Sie wenden sich schnell anderen Dingen zu

Das kann bedeuten, daß sie einen Satz beenden, sich einem neuen Gedanken zuwenden oder das Gespräch überhaupt abschließen wollen. Wir haben in der genannten Reihenfolge einzelne Beispiele geordnet.

Ägypten

> A: Kannst du mir mal 1 Mark pumpen?
> B: Hä, Ägypten?!

▷ Stereotype Antwort, wenn man auf eine Frage nicht antworten will; mitunter auch als generelle Ablehnung einer Person, mit der man nichts zu tun haben will. In einzelnen Gruppen kann eine derartige Wendung so häufig gebraucht werden, daß erst einmal fast jede Antwort so eingeleitet wird, bevor eine angemessene Antwortreaktion angefügt wird.

also

Das war ganz toll, also!
▷ Abschluß eines Satzes; nachdrücklich, bestätigend gemeint, im Sinne etwa von ‚also wirklich!‘
syn.: echt

claro

(1) Der wollte doch bloß wissen, was ich im Kopp
habe, claro!
(2) Mach hier keinen Ärger, claro?!
▷ stereotyper Nachtrag zu einem Satz im Sinne von „Das
ist doch klar!“ (1) oder als Anrede im Sinne von „Hast du das
verstanden?“ (2)

ehrlich

Damit kannste zufrieden sein, ehrlich!
▷ Nachdrückliche Bestätigung eines Sachverhaltes; in län-
geren Texten wird das Wort nur noch als Füllwort gebraucht
und wirkt nicht mehr nachdrücklich.

ejh

Das kannste echt vergessen, ejh.
▷ Abschluß eines Satzes; Bestätigung der Aussage

Fakt

(1) A: Kommt ihr morgen zu der Fete?
     B: Na, Fakt!
(2) Die kommen morgen, Fakt!
▷ als bejahende Antwort auf eine Frage (1), auch Bestätigung, die Zweifel an einer Vermutung ausräumt (2)

logo

(1) A: Bist du gern Verkäuferin?
     B: Logo!
(2) A: Jetzt mußt du mal was sagen.
     B: Logo!
(3) A: In diesem Sommer konnte man kaum baden.
     B: Bei dem Wetter. Logo!

▷ bejahende Antwort auf eine Frage (1), Bestätigung einer Aufforderung (2) oder einer Feststellung (3)

o. k.

(1) A: Kommst du jetzt endlich?
    B: O. k., o. k., ich komm ja schon.
(2) A: Du könntest dein Zimmer auch wieder mal aufräumen.
    B: O. k.

▷ Bejahende Antwort bzw. auch Bestätigung einer Frage (1) oder allgemeine Zustimmung zu einer Feststellung im ursprünglichen Sinn „In Ordnung" (2). Die Floskel wurde hier weniger wegen ihrer jugendspezifischen Bedeutung angeführt, sondern mehr wegen des übermäßigen Gebrauchs bei den verschiedensten Gelegenheiten.

Das war wohl nichts!

▷ Stereotype Wendung, wenn jemand etwas Dummes sagt, das nicht akzeptiert wird oder akzeptiert werden kann; auch als Selbstironisierung, wenn eine Handlung nicht die erwartete Wirkung (z. B. ein Witz wird nicht verstanden) beim Hörer zeigt.

Das kannste wissen!/Das darfste wissen!

Das kannste wissen, ejh!
▷ nachdrückliche Bestätigung einer Aussage

übelsten Dank

A: Hast du überhaupt meine Karte bekommen?
B: Ja, ja, übelsten Dank auch!
▷ ironisch-verfremdende Form der Danksagung
Vergleiche *übelst* (S. 101)!

Tschüssikowski

A: Macht's gut!
B: Tschüssikowski!
▷ Abschiedsformel, abgeleitet von *tschüß*
syn.: Tschau, Tschö

Wird der Satz oder das Gespräch nicht freiwillig beendet, kann es zu sehr nachdrücklichen Aufforderungen dazu kommen.

Abfahrt

Aber Abfahrt jetzt!
▷ Aufforderung zum Weggehen, die hier wie auch in den folgenden Beispielen mit einer Drohung verbunden sein kann

den Abflug machen

Mach 'n Abflug!
▷ Aufforderung zum Weggehen

abpfeifen

Pfeif ab, du Heinz!
▷ Aufforderung zum Weggehen (grob)

sich abseilen

(1) Seil dich ab, sonst setzt es was!
(2) Seil dich von dem Typen ab, das bringt nichts!
▷ Aufforderung zum Weggehen (1), auch in gemäßigter Form verwendet (2) als Rat, sich aus einer Sache rauszuhalten

jemanden belasten

Bist du schon wieder hier! Willste mich belasten oder was?!
▷ Aufforderung zum Weggehen, die ein Sprechverbot einschließt

die Flocke machen

Mach die Flocke – sonst helf ich dir nach!
▷ Aufforderung zum Weggehen, sich zu beeilen
syn.: die Mücke, den Schwan machen

sein Gesicht nehmen

Mann, nimm dein Gesicht und geh!

▷ Aufforderung zum Weggehen; auch allgemeine Ablehnung im Sinne von „Laß mich in Ruhe!"

jemandem ein Gespräch aufdrängeln

Willste mir 'n Gespräch aufdrängeln oder was?
▷ drohende Frage, die einem Sprechverbot gleichkommt, dem schon eine ablehnende Geste oder ein ablehnender Text vorausging

aus der Hüfte kommen

Komm endlich aus der Hüfte, wie lange soll ich noch warten?
▷ Aufforderung, sich zu beeilen, endlich zu gehen
syn.: aus 'm Arsch, aus der Kacke, aus der Knete kommen

den Kopp zumachen

Mach 'n Kopp zu – es zieht!
▷ Sprechverbot

einen Kreis ziehen

Eh, zieh 'nen Kreis, sonst …!
▷ Aufforderung zum Weggehen

die Mülltonne dichtmachen

Mach die Mülltonne dicht!
▷ Sprechverbot

den Mund zumachen

Mach den Mund zu, sonst werden die Milchzähne sauer!
▷ Sprechverbot; kann auch nur scherzhafte Anmerkung sein

den Schnapper zumachen

Mach endlich 'n Schnapper zu, du gehst mir auf 'n Docht!
▷ Sprechverbot

jemanden von der Seite belegen

Beleg mich nicht von der Seite!

▷ Sprechverbot, gekoppelt mit einer zeitweiligen oder generellen Ablehnung einer Person

in den Topf gucken

Guck in den Topf und schreck die Eier ab!

▷ Pseudo-Aufforderung zu der genannten Handlung, die einer Aufforderung zum Weggehen gleichkommt. Die Absurdität der Forderung bedeutet gleichzeitig eine Abwertung der angesprochenen Person.

Das ist ein Beispiel für viele ähnliche Wendungen als Typ, die vor allem innerhalb von Kleingruppen die Runde machen und wegen ihres Witzes sehr beliebt sind.

sich verfatzen

Verfatz dich endlich, wir wollen allein sein!

▷ Aufforderung zum Weggehen

syn.: verpfeif dich, verpiß dich (grob)

Jugendliche reden über vieles

Sie reden zum Beispiel über Leute, die ihnen nahestehen und die sie mögen

meine Regierung

Ich weiß nicht, ob ich mitkomme, muß erst mal meine Regierung beknien.

▷ beide Elternteile oder Erziehungsberechtigte

syn.: die Alten, die Bosse, der hohe Rat, die Ernährer, die Erzeuger, der Generalstab, die Greise, die Haus-BGL, meine Herrschaften, die Oldies, die Oldtimer, der Rat der Götter, die Spießer

Die einzelnen Bezeichnungen sagen kaum etwas über die Beziehungen zu den Eltern aus, sie können je nach Situation,

Gesprächspartner und Einstellung zu den Eltern sehr positiv („Sag nichts gegen meine Alten, die sind prima!") wie auch sehr negativ sein („Meine Alten können mich mal, die haben mir nichts zu sagen!").

mein Erzeuger

> Mein Erzeuger hat gestern vielleicht Terror gemacht, als ich nach Hause kam.

▷ Vater

syn.: mein Alter, mein Ernährer, der Greis, mein alter Herr

meine alte Dame

> Meine alte Dame sagt nichts, wenn ich zur Disko gehe.

▷ Mutter

syn.: meine Alte, die Frau, der General, Merkwürden

Die Wörter *Alte* und *Frau* sind übergreifende Benennungen und kommen in verschiedenen Bedeutungen vor. Dabei kann *Alte* sowohl positiv (z. B. für die eigene Freundin) wie auch sehr negativ (z. B. als Schimpfwort für eine weibliche Person) verwendet werden. *Die Frau* drückt eine gewisse Distanzhaltung aus und bezieht sich auf Frauen mit einer gewissen Autorität (Mutter, Lehrerinnen, Ärztinnen, Heimleiterinnen). Auch wenn man den Namen genau kennt, wird die allgemeine Benennung bevorzugt, z. B. „Die Frau bemüht sich wenigstens um uns."

der Clan

> Am Sonnabend kann ich nicht weg, der Clan schlägt zu.

▷ Familie im engeren und im weiteren Sinne

syn.: die Sippe, die Sippschaft

meine Keule

> Sei ruhig, meine Keule kommt, der petzt!

▷ Bruder

syn.: Atze, Fiez, Junior

meine Schwelle

Ich muß heute meine Schwelle mitnehmen.

▷ Schwester

syn.: Derre, Dürre, Elle, Keule, Sister

die Clique

Ich geh' mit meiner Clique zur Disko.

▷ Freizeitgruppe; Freundeskreis; Gruppe von Jugendlichen, die sich an Kaufhallen, Spielplätzen oder in Diskos trifft.

die Gang

(1) In unserer Gang bin ich der Boß.
(2) Wir haben heute Sitzung mit dem Klubrat, ich gehöre doch zur Klubgang.

▷ Gewöhnlich eine Freizeitgruppe, die enger zusammengehört als eine Clique. Das kann durch gemeinsame Interessen (auch negative) bedingt sein (1) oder/und durch äußere Umstände (2).

Käte

Ich denk', hier gibt es lauter satte Käten.

▷ Mädchen

syn.: Alte, Biene, Braut, Brosche, Büchse (leicht negativ), Bürste (negativ), Disko-Torte, Dose (negativ), Gerät, sattes Gerät, Ische, Kirsche, Kundin, Mädel, Mieze, Miß, Praline, Puppe, Sahne-Schnitte, Schnalle, Schnecke (leicht negativ), Supermutti, Süße, Tante, rasse/rassige Tante, Tussi, Typin, Weib, Zarte

meine Sonne

Das ist meine ehemalige Sonne.

▷ Freundin (eines Jungen)

syn.: Alte, Anhang, Biene, Braut, Brosche, Flamme, Ische, Käte, Kirsche, Tussi

urster Kunde

Den Heiko können wir mitnehmen, das is 'n urster Kunde.

▷ Junge, junger Mann (hier positiv)

syn.: Alter, Bubi, Chaote, Kerl, Macher, Macker, Penner, Scheich, Schlaffi (leicht negativ), Schleimi (negativ), Softi, Tramper, Typ, urster Typ, Wichser (negativ)

mein Macher

Das ist Ina ihr Macher.

▷ Freund (eines Mädchens)

syn.: Alter, Kumpel, Kunde, Macker, Sonne, Sonniboy, Spielpartner

Kumpel und *Kunde* werden auch zur Bezeichnung des Freundes eines Jungen verwendet.

Sie reden über Personen, die sie nicht mögen

Alte

Die Alte hat doch 'nen Riß in der Schüssel.

▷ unsympathische weibliche Person jeden Alters

Anscheißer

So ein Anscheißer, der war schon wieder beim Lagerleiter.

▷ Verräter, Petzer

Chaote

(1) Hau ab, du Chaote!
(2) Die ist 'ne richtige Chaotin.

▷ Person, die aufgeregt oder unruhig ist (1); jemand, der Unsinn redet (2)

Emanze

Die blöde Emanze will nicht tanzen.

▷ Mädchen, das mit Jungs nichts zu tun haben will

Hohlroller

Den find' ich total hohl, den Hohlroller!

▷ negative Bewertung eines Jungen, der nicht zur Gruppe
paßt

Keim

So ein Keim, den kannste nicht mal anfassen.

▷ schleimiger, unsauberer Junge; auch in übertragener Bedeutung

alter Knacker

Was will denn der alte Knacker auf 'ner Disko?

▷ allgemein für ältere, nicht attraktive männliche Wesen;
das Altsein ist relativ, für eine 15jährige ist schon ein 20jähriger ein *alter Knacker*.
syn.: Opa, Opi

peoples

Gib dich nicht ständig mit den peoples ab!

▷ jüngere, schwächere Kinder oder Mitschüler

Tunte

Guck mal, was der für eine Tunte mithat.

▷ unsympathisches, häßliches Mädchen
syn.: Assel, Fleppe, Klaffte, Klunte, Mischbrot, Pflaume,
Pusche, Wamsbrett

Bäcker

**Da muß schon der Bäcker kommen und nicht das
Brötchen.**

▷ Ablehnung einer Person, meist für jüngere Geschwister
oder Mitschüler gebraucht, vor allem, wenn sie sich am Gespräch beteiligen wollen.

Diese und die folgenden Wendungen werden gewöhnlich in
der vorliegenden Form gebraucht; sie können sowohl ernst
wie auch scherzhaft gemeint sein, sollen aber nicht verletzen.

Bockwurst

Hab' ich von Bockwurst gesprochen, daß du deinen Senf dazugeben mußt?

▷ Ablehnung einer Person, Protest gegen eine unerwünschte Einmischung

ekeln

Dreh dich um, andere woll'n sich auch ekeln!

▷ Ablehnung einer Person (grob)

Gesicht

Wenn ich so'n Gesicht hätte wie du, würde ich mich beim Zoo melden.

▷ Ablehnung einer Person

Kuchen

Wer spricht von Kuchen, daß du Krümel dich meldest?

▷ Ablehnung einer Person (scherzhaft)

Maschine

Da muß schon die Maschine kommen und nicht das Ersatzteil.

▷ Ablehnung einer Person (scherzhaft)

Stuhl

Sieh dir diesen Stuhl an! Du kannst dir nicht vorstellen, wie schwer der aus deinem Kopf eitert.

▷ Ablehnung einer Person, mit Drohung verbunden

Zahn

Keinen Zahn im Maul, aber La paloma pfeifen!

▷ leicht verächtliche Ablehnung einer Person, die etwas will, was ihr nicht zukommt

Die Ablehnung einer Person kann auch dadurch ausgedrückt werden, daß man ihr Dummheit bzw. Beschränktheit

nachsagt. Das kann durch die Unterstellung der unterschied-
lichsten Mängel in geistiger und körperlicher Hinsicht erfol-
gen. Diese Redewendungen sind fast immer grob gefärbt
und haben teilweise bösartigen Charakter. Dazu zählen wir
nur einige Beispiele auf:

Bilder

> Du siehst wohl keine klaren Bilder?

blicken

> Der blickt nicht.

syn.: durchblicken

Bus

> Du bist wohl untern Bus gekommen?

dampfen

> Du dampfst wohl?

ein Ding laufen (zu) haben

> Der hat doch ein Ding (zu) laufen.

syn.: einen mitlaufen haben

Dummheit

> Wenn Dummheit in die Länge schlagen würde,
> könntest du aus der Regenrinne saufen.

syn.: Nach diesem Schema können beliebige Varianten gebildet werden.

echt sein

> Du bist wohl nicht ganz echt?

syn.: sauber sein

ein Ei auf dem Kopf haben

> Mit dem kannste nich reden, der hat doch 'n Ei auf
> 'm Kopf.

syn.: auf der Schulter haben
steigernd: Das ist schon 'ne ganze Zwölferpackung.

Eimer

Der ist zu dumm, einen Eimer Wasser umzukippen.

fertig sein

Bist wohl fertig oder wie oder was?

Fuß

Du hast wohl was am Fuß?

geschossen

Du siehst ja geschossen aus!

Harry haben

Der hat doch 'n Harry an der Leine!
syn.: auf der Schulter

hohl sein

Der ist doch hohl, der Typ!

Huf

Dir fehlt wohl 'n Huf?

Hut aufsetzen

Denkst du, ich setze 'n Hut mit dem Kran auf?

kaputt sein

Der ist doch kaputt!
syn.: fertig, des Wahnsinns

Keks

Weichen Keks im Schuh?

Klapper

Du hast wohl was an der Klapper?
syn.: Bei dir klappert's wohl?

Knete

Knete im Kopf hat der doch!
syn.: bunte Tinte

knusper sein

Du bist wohl nicht mehr ganz knusper?

dumm wie ein Konsumbrot

Der ist doch dumm wie 'n Konsumbrot!
syn.: wie 'n Sack Kartoffeln

'ne Latte haben

Du hast wohl 'ne Latte?
syn.: Hammer, Scheibe

einen laufen haben

In der Familie haben doch alle einen laufen.

losgehen

Jetzt geht's wohl los?

etwas merken

Der merkt nichts mehr!
Du merkst wohl nichts mehr?
syn.: Merkst du's denn noch?

Nadeln an der Tanne

Der hat nicht mehr alle Nadeln an der Tanne.

Optik

Knick in der Optik, hä?

ein Rad ab haben

Der hat doch 'n Rad ab!
steigernd: das totale Rad ab haben

rattern

Bei dir rattert's wohl?

syn.: Bei dir rattert's wohl unterm Pony?

'ne Roulade haben

Hast ja 'ne Roulade im Ohr!

syn.: Hast ja 'n Klops in der Blutbahn!

Riß in der Tasche haben

Die hat doch 'nen Riß in der Tasche!

syn.: in der Schüssel

rund laufen

Du läufst wohl nicht rund?

Schwierigkeiten

Schwierigkeiten, was?!

Sender

Du hast wohl nicht alle auf dem Sender?

sich sehen

Siehst du dich noch?

Splitter

Du hast wohl 'nen Splitter?

ticken

Der tickt nicht richtig.

nichts/etwas auf der Waffel haben

Der hat doch nichts auf der Waffel.

syn.: auf der Schaufel, auf der Tasche

Wald

Der steht wohl im Wald!

Zapfen/Zappen haben

Der hat 'nen Zappen!
syn.: einen Zappen ausfahren

Eine Steigerung in der Ablehnung einer Person ist die massive Androhung von Tätlichkeiten. Mag es auch richtig sein, daß die angedrohten Tätlichkeiten nicht im Ernst ausgeführt werden sollen, so können sie doch ernst verstanden werden. Auch wenn sie – was durchaus vorkommt – mit einem Lächeln ausgesprochen werden, dokumentieren sie doch Stärke, die sich am Widerstand anderer zu ernsthaften Auseinandersetzungen entzünden kann.

Da das aber keine zwingende Folge ist, diese Ablehnung von Personen durch Drohungen im allgemeinen auch nur so aufgefaßt wird, stellen wir hier eine Auswahl dazu vor.

Brustkorb

Ich schlag dich so, daß du durch den Brustkorb gukken wirst.

Buch

Kauf dir doch mal das Buch: Mein Leben am Tropf.
syn.: Kauf ...: Wie trinke ich aus einer Schnabeltasse?

Faust

(1) Eh, Alter! Du ahnst nicht, wie schwer meine Faust aus deinem Gesicht eitert.
(2) Lange nicht gegen 'ne parkende Faust gerannt?
syn.: Lange nicht aus 'm Gipsbett gelächelt?

Kleiner

Mach, daß du wegkommst, sonst mach ich dir 'nen Kleiner.

Knabberkiste

Ich drücke dir gleich die Knabberkiste ein.

Krankenschwester

Willst wohl wieder mal mit 'ner Krankenschwester flirten?

gutgehen

Dir geht's wohl zu gut? (Na, bald nicht mehr.)

Rente

Du spielst mit deiner Rente!

sich warmmachen

Da mach dich mal warm!

Zahn

(1) Zahn locker?!
(2) Willste was vor 'n Zahn?
(3) Kämm deine Zähne hinter!
(4) Dir stehen wohl die Zahnreihen zu eng?!

Sie reden über andere, die besonders auffallen

Dabei gilt es, sowohl äußere Merkmale – z. B. dick sein, lange Beine usw. – wie auch charakterliche Merkmale zu benennen, die als Personenkennzeichnung verallgemeinert werden.

Apparat

Mensch, ist das 'n Apparat, die kannste doch rollen.
▷ dickes Mädchen
syn.: schlanker Dreitonner, Minipanzer, Schrankkoffer

Aufreißer

(1) Der ist ein richtiger Aufreißer.
(2) Der ist doch bloß ein Aufreißer.
▷Frauenheld; kann neidvoll-bewundernd sein (1), aber auch negativ abwertend, daß jemand nicht für eine echte

Freundschaft tauge (2), sondern nur mit bestimmten Methoden mit Mädchen flirtet

Beine

Du kannst dir die Beine in der Parfümflasche waschen.

▷ Umschreibung für jemanden, der sehr klein ist

Besenstiel

Du kannst dich hinter 'nem Besenstiel verstecken.

▷ Umschreibung für jemanden, der sehr dünn ist

Boß

Der macht bei uns den Boß.

▷ Benennung einer Person, die eine irgendwie geartete Leitungsfunktion hat; das kann in einer gesellschaftlichen Leitung sein, aber auch innerhalb einer Freizeitgruppe.
syn.: Chef, Leader

Bulettenschmied

Mal sehen, was der Bulettenschmied heute wieder angerichtet hat.

▷ Koch, vor allem in einer Gemeinschaftsverpflegung

Bundi

▷ Bürger der BRD

Fetzer

Bring den doch zur Fete mit, das ist ein richtiger Fetzer.

▷ Stimmungsmacher, Spaßmacher; einer, der im Mittelpunkt steht

schlimmer Finger

Der hat schon wieder 'ne neue Freundin. So 'n schlimmer Finger!

▷ jemand, der oft und schnell Beziehungen zum anderen Geschlecht aufnimmt, vorwiegend für Jungen gebraucht

ungeschicktes Fleisch

Laß mich das machen. So 'n ungeschicktes Fleisch, wie du bist.

▷ ungeschickter Mensch, ausgehend von ungeschickten Händen

Freak

(1) Meine Eltern sind Theater-Freaks, die könnten jede Woche gehen.
(2) Wenn der sagt, der ist 'n totaler Freak, das ist er mit Sicherheit nicht.

▷ Anhänger, Interessent für eine bestimmte Sache (1); auch allgemein und sehr ungenau für eine Person, die ein besonderes jugendspezifisches Interesse weckt (2)
steigernd: total, blank

die Harten

Wir gehen lieber, jetzt kommen wieder die Harten.

▷ Verrückte, Andersartige
syn.: die Freaks, die Massen, die peoples

Kaputtnik

Das ist doch 'n Kaputtnik; hast du gesehen, wie der reagiert hat?

▷ jemand, der sich nicht im Bereich der Gruppennorm benimmt; umfaßt Bereiche ‚verrückt sein‘, ‚etwas übertrieben tun‘, ‚abwegige Ansichten äußern‘
syn.: der Kaputte

Kunde

(1) Du bist vielleicht 'n Kunde!
(2) Die Heimfahrt war gestern toll, da ist so 'n totaler Kunde mitgefahren.

▷ Benennung für Jungen mit extremer Markierung, die sowohl positiv wie auch negativ sein kann (1); auch eindeutig positive Bewertung, die sich aber speziell auf ein Unterhaltungstalent – auch auf ein nicht beabsichtigtes – bezieht (2)

Penner

Der geht nicht auf Arbeit, der ist doch ein Penner.

▷ Oberschüler einer EOS, abgeleitet von ‚Penne‘ (erweiterte Oberschule)

Punker

Das sind doch alles Punker.

▷ Benennung für Jungen, die bunt angezogen sind

Strahl

Du mußt auch beim Duschen von Strahl zu Strahl springen.

▷ Umschreibung für jemanden, der sehr dünn ist

Tramper

Also vom Tramper zum Punker, dann bleib lieber Tramper.

▷ Benennung für eine Person (meist Jungen), die relativ salopp und sportlich auftritt

Typ

Guck mal, der Typ schaut immer zu uns rüber.

▷ Benennung für männliche Personen, die nicht abgelehnt werden

Die Benennung „Typ" ist sehr häufig und erst einmal sehr allgemein, aber mit eindeutiger positiver Wertung. Die positive Wertung kann zusätzlich durch eine Reihe von wertenden Adjektiven verdeutlicht werden: *affenstarker, cooler, heißer, irrer, knallharter, starker/stärkster, urster Typ.* Auch mit speziellen Substantiven wird diese positive Wertung erreicht: *Riesentyp, Übertyp.* Seltener dagegen ist ein negativ wertendes Adjektiv: *ausgeflippter, kaputter, linker* Typ.

gut im Schuh stehen

Die Tussi steht doch gut im Schuh.

▷ gutaussehendes Mädchen, seltener für Jungen gebraucht
syn.: gut im Futter stehen

Jugendliche nennen die Dinge beim Namen

Sie nennen die Dinge selbst

action

Komm mit in den Diskokeller, da ist action.

▷ etwas ist los, es passiert etwas; Umschreibung dafür, daß etwas nicht langweilig ist

Alk

Leute, der hat 'nen Alk mit.

▷ Alkohol; meist eine Flasche Schnaps oder Wein

Anmache

(1) In der Disko ist mir zu viel Anmache.
(2) Das Buch ist die absolute Anmache.

▷ Umschreibung für Flirt/Kontaktaufnahme (1), auch für einen bestimmten Reiz (2)

Bude

(1) Die Bude war wieder gerammelt voll.
(2) Wir sind mit 4 Mann auf einer Bude.
(3) Ich geh' nicht mit auf Bude, da kannst du machen, was du willst.

▷ allgemeine Benennung für einen Raum, auch für Gaststätten, Diskos usw. (1); Zimmer in einem Wohnheim (2); mit jemandem mitgehen, um ungestört zu sein, in einem Zimmer, der elterlichen Wohnung u. a. (3)

Bulettenkombüse

Komm mit in die Bulettenkombüse, wir suchen uns was.

▷ Küche

intravenöse Ernährung

Und wenn du nicht weiterweißt – dann eben intravenöse Ernährung.

▷ Vorsagen in der Schule, Abschreiben bei Arbeiten

face

Dreh endlich dein face weg.
▷ Gesicht

Farm

Meine Eltern sind heute auf ihrer Farm.
▷ Datsche, Wochenendhaus

Feeling

(1) Dafür brauchste 'n Feeling, wenn was rüberkommen soll.
(2) Da kriegste ein echtes Feeling, wenn du bei der Platte länger zuhörst.
▷ allgemeine Umschreibung für ein bestimmtes Gefühl, auch: Einstimmung für eine Sache (1). Das Gefühl kann auch wie ein Rausch bei guter/ansprechender Musik wirken (2).
steigernd: absolut, echt, echt geil, stark, total

Ferkelschubs

Das ist doch bloß ein Ferkelschubs.
▷ Jugend-/Schülerdisko; meist von älteren Schülern gebraucht, die sich davon distanzieren
syn.: Kinderschubs

Fete

Gabi gibt 'ne Spaghetti-Fete! Ne richtige Fete ist doch das einzig Wahre zum Geburtstag.
▷ Zusammentreffen von Jugendlichen in privater Runde, steht oft unter einem bestimmten Motto
Vergleiche *Party* (S. 59)!
steigernd: fetzige, urste, Wahnsinns-Fete

Fliegerangriff

Das ist wie 'n Fliegerangriff bei mir.
▷ Kopfschmerzen haben

Fummel

Wenn ich zu der Fete gehen soll, brauch ich 'nen neuen Fummel.

▷ Kleid, auch für wertvolle Kleidung allgemein

Gehruten

Setz endlich deine Gehruten in Gang!

▷ Beine, Füße

syn.: Laufwerk

Glotze

Am Wochenende saß ich nur vor der Glotze.

▷ Fernsehapparat

syn.: Totalverblöder, Volksverdummer

Glotzen

Da mußt du eben mal die Glotzen rausleiern, wenn du was sehen willst.

▷ Augen

syn.: Gucker, Halogene, Scheinwerfer, Seher

Horchbretter

Mit den Horchbrettern kann der segeln.

▷ Ohren

Jagdschein

Hast du denn überhaupt schon 'nen Jagdschein, daß du hier mitredest?

▷ Umschreibung für ein bestimmtes Alter oder eine Fähigkeit

Joint

Haste mal 'nen Joint für mich?

▷ Zigarette

syn.: Flippe, Hugo, Keim, Kippe, Lulle, Lunte, Nulle, Pichte, Pilfe, Rauche/Rooche, Sargnagel, Sticks, Stiftchen, Stoff, Waggon

Kiste

Hast du gesehen, der hat 'ne neue Kiste.
▷ Auto
syn.: Schleuder
▷ Motorrad
syn.: Hirsch, Karre, Ofen
steigernd (für beides): heiße Kiste

Klampfe

Der will 'ne Klampfe verkaufen, du wolltest doch eine.
▷ Gitarre, auch für moderne elektrische Instrumente

Knete

Hauptsache, die Knete stimmt.
▷ Geld
syn.: Asche, Fett, Flöhe, Kies, Knack, Knaster, Kohle, Kröten, Lack, Lappen, Marie, Mäuse, Money, Moos, Notgroschen, Piepen, Pinke, Penunse, Pulver, Radatten, Rente, Schmott, Staub, die Stücken, Zaster

Mecke

Der hat doch 'ne Mecke wie 'n Mädchen.
▷ langes, dichtes, oft lockiges und gepflegtes Haar bei Jungen
syn.: Matte

Möhre

So 'ne Möhre würde ich doch nicht mehr fahren.
▷ verrostetes Auto
syn.: möhrig

Murmel

(1) Nimm deine Murmel weg!
(2) Der hat doch 'n Ding an der Murmel.
▷ Kopf in direkter (1) oder in übertragener Bedeutung (2)
syn.: Omme, Ypse

Nuttendiesel

Du nimmst auch so 'n Nuttendiesel?
▷ Deo-Spray

satte Orgel

Die neue Platte von X, das ist 'ne satte Orgel!
▷ gute (Schallplatten-)Musik

Party

A: Wird das 'ne Rotwein-Party?
B: Nee, ne orthopädische Party – mit Einlagen.

▷ Festliches Zusammentreffen Jugendlicher, steht meist unter einem bestimmten Motto; gilt gewöhnlich als eleganter oder veralteter Ausdruck für *Fete*; wird auch als lang vorbereitetes Zusammentreffen aufgefaßt, gegenüber einer mehr spontanen *Fete*; in einzelnen Gruppen sind *Party* und *Fete* synonym.

Power

(1) Die Frau versucht wenigstens Power über die Bühne zu bringen.
(2) In dem Titel steckt doch Power drin!

▷ Ausstrahlungskraft, Gefühl (1); positive Wertung für etwas, das ganz einfach gefällt (2); *Power* ist mehr als positive Wertung, es enthält einen Verweis auf Überdurchschnittlichkeit und Gefühlsstärke; die ursprüngliche englische Bedeutung ‚Macht‘, ‚Kraft‘ ist noch deutlich erhalten geblieben.

Scheibe

Komm doch noch mit zu Jens, der hat jede Menge heiße Scheiben.

▷ Schallplatten, gewöhnlich für Unterhaltungsmusik verwendet, seltener für klassische Musik
steigernd: geile, gute, heiße, starke, urste
syn.: Rille

Schocker

Haste den Film gesehen? 'n totaler Schocker!

▷ allgemein positive Wertung mit einem aufregenden oder
erschreckenden Beigeschmack, bezieht sich auf Dinge, die
Jugendliche interessieren: Filme, Bücher, Musiktitel, Fuß-
ballspiel, Boxkampf

Show

**Also das muß ich beschreiben, gestern, das war 'ne
absolute Show!**

▷ Die ursprüngliche Bedeutung ist verflacht, geblieben ist
eine allgemeine positive Bewertung oder die Umschreibung
von etwas Außergewöhnlichem; das kann ein guter Film,
eine besondere Veranstaltung oder eine Auseinandersetzung
in der Schule wie eine gewöhnliche Begegnung sein, die aber
erzählenswert erscheint.
steigernd: absolut, irre, total

Stoff

Der Typ ist doch dem Stoff verfallen.

▷ Bier
syn.: Gerstenkaltschale, Grilleta, Hülse, Humpen, Molle,
Tee, Töppe

Strebothek

Der sitzt doch nur in der Strebothek

▷ Bibliothek

Wuhling

(1) Gestern war wieder absolutes Wuhling im Klub.
(2) Komm nur rein, hier ist zwar Wuhling, aber ...

▷ Gedränge, viele Leute, meist mit guter Stimmung verbunden (1); durch häufigen Gebrauch abgeflacht zu ,Unord-
nung', ,Unruhe' (2)

Zug

Kauf dir doch selber mal 'n Zug.

▷ Schachtel Zigaretten

Sie haben auch Namen für Handlungen und Zustände

abducken

Hier gefällt's mir nicht mehr, ich geh jetzt abducken.

▷ verschwinden, unerreichbar sein, auch: einer unangenehmen Sache aus dem Weg gehen, schlafen

syn.: abtauchen

abfahren

(1) Auf den Typ könnte ich voll abfahren.
(2) Da fahr ich echt nicht darauf ab.

▷ sich für etwas begeistern, Ausdruck des Gefallens (1), in negativer Form auch in der Bedeutung ‚Da mach ich nicht mit!' (2)

steigernd: echt, voll

Abfahrt geben

Das gibt Abfahrt!

▷ Feststellung, daß man etwas für unmöglich hält oder daß etwas nicht passieren wird, was erwartet wurde; seltener in der Kurzform *Abfahrt!*

abfaulen

In Mathe könnt ich abfaulen.

▷ mit etwas nicht fertig werden, etwas nicht begreifen

syn.: wegfaulen

'n Abflug machen

Warum ziehst'n dich an? Willst'n Abflug machen?

▷ weggehen, -fahren

sich abgeilen

Geil dich ab, so schlimm ist das doch gar nicht.

▷ sich beruhigen

abklemmen

Das Seminar heute nachmittag werde ich abklemmen.

▷ ausfallen lassen, schwänzen

abkotzen

(1) Ich muß mal abkotzen gehen.
(2) Da kann ich abkotzen, wenn ich so etwas höre.
(3) Gestern hatte ich Panne, ich hab vielleicht abgekotzt, und dabei war nur die Zündkerze locker.

▷ in wörtlicher Bedeutung ‚sich übergeben' (1) und in übertragener Bedeutung ‚etwas ertragen müssen, das man ablehnt' (2), ‚Wut haben', ‚sich ärgern' (3)
syn.: abstinken, rumrüsseln
steigernd: echt, total

ablachen

Geli erzählt immer die neuesten Schoten, da kannste nur ablachen.

▷ sehr, übermäßig lachen, ohne Ende lachen
syn.: abgrölen, abschreien

ablaichen

Der war gestern wieder bei der Tussi ablaichen.

▷ Geschlechtsverkehr; bekundet eine negative Einstellung zum Partner und bezieht sich nur auf den technischen Vorgang

abmatten

Verschwindet, ich will jetzt abmatten.

▷ schlafen, sich ausruhen
syn.: abruhen, abpennen

abrutschen

Wer abrutscht, darf nochmal.

▷ einen Fehler machen

abschmatzen

Wenn du denkst, du hast hier was zu melden, das kannste abschmatzen.

▷ sich irren; etwas ist nicht so, wie jemand sich das denkt, das trifft nicht zu

abschminken

Ach, den Jens, den hab' ich mir gerade abgeschminkt.

▷ eine Freundschaft beenden

abschwitzen

Daß du von mir nochmal was bekommst, das kannste dir abschwitzen.

▷ das trifft nicht zu, sich irren

sich abseilen

Mir reicht's, ich seil mich jetzt ab.

▷ weggehen; mit einer Sache nichts mehr zu tun haben wollen; sich vor einer Sache drücken

abstinken

Gestern hatten wir bloß Krach, ich habe urst abgestunken.

▷ sich ärgern
steigernd: echt, total, urst

abstressen

Ich will mich in den Ferien doch nicht abstressen.

▷ sich anstrengen, sich abhetzen

abziehen

Wollen wir wieder mal 'ne Fete abziehen?

▷ etwas inszenieren, etwas in Gang setzen, machen

alken

Gehen wir heute ein bißchen alken?

▷ Alkohol trinken

alt aussehen

(1) Wenn du erwischt wirst, siehste echt alt aus.
(2) In der Prüfung sah ich vielleicht alt aus.
▷ jemandem geht es schlecht (1); unterlegen sein, etwas nicht wissen oder können (2) oder nicht begreifen

angehen

Mir ist so, ich könnte heute 'nen Jungen angehen.
▷ mit jemandem flirten, eine Freundschaft beginnen; meistens von Mädchen gebraucht
Vergleiche *anmachen* (S. 64)!

anknallen

Hat der die Neue angeknallt?
▷ mit einem Mädchen Geschlechtsverkehr haben, ein Mädchen schwängern; sehr negativ mit schadenfroher Wertung

anmachen

(1) A: Was wollte der denn von dir?
    B: Na, mich anmachen!
(2) Die Scheibe macht mich echt an.
(3) Der traut sich was, jetzt macht er den einfach an.
(4) Mein Vater macht meine Schwester ständig an,
    daß sie zu viel Musik hört.
▷ mit jemandem flirten (vor allem Jungen gegenüber Mädchen) (1); etwas gefällt sehr gut (2); jemanden ansprechen, auch: in einer Sache bereden (3); mit jemandem zanken im Sinne von ,meckern' (4); die allgemeine Bedeutung läßt sich mit ,reizen' umschreiben
steigernd: echt, mächtig, tierisch, urst

anmotzen

Meine Mutter kann es nicht lassen, die muß mich immer anmotzen.
▷ jemanden ermahnen, kritisieren, beschimpfen

anschieben

Wegen der Klassenfahrt haben sie ihn gestern ange-
schoben.

▷ jemanden freundschaftlich kritisieren

anstinken

Gegen den Michael kannste nicht anstinken.

▷ sich gegenüber jemandem behaupten, erfolgreich kritisieren

antörnen

(1) Der Titel törnt mich voll an.
(2) Da braucht man schon paar Mark, um sich anzu-
törnen.

▷ etwas gefällt sehr gut, spricht vor allem das Gefühl an,
wirkt aufreizend (1); selbst in Stimmung kommen, sich amüsieren (2)
steigernd: echt

Asche

(1) Wenn du so weitermachst, ist Asche mit uns.
(2) Was ist denn los? Haste 'ne Asche?

▷ das Ende einer Beziehung andeutend (1); Ärger, Probleme haben, sich um etwas Sorgen machen (2)

ein Ding aufbauen

Du mußt hier kein Ding aufbauen, ich glaube dir
doch nicht.

▷ lügen, eine Sache falsch darstellen

aufheizen

Den kannste mit so einer Story richtig aufheizen.

▷ jemanden gezielt ärgern

aufreißen

(1) Jetzt reißt der doch noch die Blonde auf.
(2) In den Ferien wollen wir unbedingt etwas Neues
aufreißen.

▷ eine Bekanntschaft mit einem Mädchen machen, um es zu erobern (1), vergleiche *anmachen* (S. 64); etwas Neues, möglichst Eindrucksvolles kennenlernen (2)

ein Faß aufreißen

Also, wirklich, kommt hier rein und reißt ein Faß auf wegen nichts. Aber so ist meine Mutter manchmal.
▷ sich aufregen, schimpfen; eine Sache überbewerten

einen Aufriß machen

Mach hier bloß keinen Aufriß, wir wollen unsere Ruhe haben.
▷ Unruhe verbreiten, sich aufregen, schimpfen; angeben, Unwahrscheinliches erzählen; meist in negativer Form gebraucht und dient den verschiedensten Arten der Beunruhigung
syn.: einen Aufstand machen, rumputschen

fette Augen machen

Nimm den mit, der macht schon fette Augen.
▷ beschwipst sein

Augenpflege machen

Sei leise, mein Vater macht Augenpflege!
▷ schlafen

ausflippen

(1) Wenn der mich anfaßt, flipp' ich aus.
(2) Der flippt immer aus, wenn er Wermut trinkt.
(3) Ich flipp' gleich aus, ehrlich mal.
▷ seinen Emotionen freien Lauf lassen; es ist dabei nicht von Bedeutung, ob es sich um Unmut (1) oder schlechtes Benehmen (2) handelt, deren Grenzwerte sich sowieso im Außergewöhnlichen treffen (1) und (2); als stereotype Wendung kann (3) auch relativ emotionslos in reduzierter Bedeutung als Ausdruck der Verwunderung ('das wundert mich') gebraucht werden

ausgeflippt

(1) Nach Mitternacht war der in einem total ausgeflippten Zustand.
(2) Die tut mir leid, die hat grad 'ne schlechte Zeit mit
'nem ausgeflippten Freund hinter sich.
▷ nicht normal sein (was immer man in einer konkreten Situation darunter versteht); meist mit leicht negativer Wertung, z. B. betrunken sein (1); wer häufig ‚ausflippt', paßt
nicht mehr in die gesellschaftlichen und/oder gruppenspezifischen Normen (2)

ausrasten

Wenn der Wut hat, rastet der total aus.
▷ sich nicht mehr in der Gewalt haben, nicht mehr normal
reagieren; seltener auch für freudige Erregung

belasten

Der Typ belastet mich, ich verschwinde immer, wenn
er kommt.
▷ jemanden als störend empfinden, nicht leiden können;
hier auf Personen bezogen

belegen

(1) Der hat mich schon belegt, weil ich das vergessen
habe.
(2) Mensch, beleg mich nicht von der Seite.
▷ intensiv auf jemanden einreden, jemandem etwas vorwer-
fen, jemanden beschimpfen (1); auch als Abwehrreaktion,
wenn man nicht angesprochen werden will (2)

belöffeln

(1) Mußt du mich denn dauernd belöffeln? Das hält-
ste doch nicht aus.
(2) Ich werde ihn im Klub belöffeln, dann macht er
das schon.
▷ auf jemanden pausenlos einreden, das bis zum Beschimpfen gehen kann (1); jemanden beschwatzen (2)
syn.: belasten, belegen, bekeimen, bekoffern

sich beölen

Ich könnte mich über den Kerl beölen, was der für Witze reißt.

▷ sich amüsieren, sehr lachen

eine Biege machen/drehen

Hast du noch Zeit? Woll'n wir noch 'ne Biege machen?

▷ mit dem Motorrad eine Spritztour machen/eine Runde drehen

einen informativen Blick machen

Ich hab nur mal einen informativen Blick zu Anke gemacht – und schon hat er mich erwischt.

▷ in der Schule vom Nachbarn abschreiben

blickig sein

Das war gar nicht so dumm. Der Kleine ist ja richtig blickig.

▷ in einer bestimmten Situation gut reagieren, etwas gut können oder wissen; mit Sicherheit abgeleitet von „durchblicken"

Bock haben

(1) Habt ihr Bock, mit zu der Fete zu gehen?
(2) Und wenn ich nun echt keinen Bock drauf habe, Bäcker zu werden?
(3) Ich habe heute wieder dermaßen Bock!

▷ ganz allgemein ‚Lust auf etwas haben' (1), erfaßt aber mehr als ein Lustgefühl, umschreibt auch innere Einstellungen zu den genannten Sachverhalten, die meist sehr intensiv sind (2); als Ironie auch Ausdruck für totale Unlust (3)
steigernd: heißen Bock haben

bongen

Du kannst beruhigt sein, die Sache ist gebongt.

▷ etwas ist in Ordnung gebracht oder zur Kenntnis genommen worden

einen Breiten machen

Dem kannste nichts glauben, der macht doch 'nen absolut Breiten.

▷ angeben

steigernd: absolut, total

die Brille aufhaben

Wenn dich dein Alter erwischt, dann haste die Brille auf!

▷ Pech haben; mit einem Nachteil rechnen müssen

Knete bunkern

Der macht nichts anderes als Knete bunkern.

▷ Geld verdienen; arbeiten gehen; sparen

checken

(1) Die hat die Aufgabe immer noch nicht gecheckt.
(2) Der checkt das echt nicht, daß ich nicht mehr mit ihm will.

▷ etwas verstehen, begreifen (1); etwas mitkriegen, bemerken (2)

eine Dicke einfangen

Wenn du bei der nicht aufpaßt, kannste dir schnell 'ne Dicke einfangen.

▷ in der Schule eine 5 bekommen

etwas dreht sich

Da dreht sich nichts, da kannste machen, was du willst.

▷ etwas funktioniert nicht, klappt nicht

Durchblick haben

(1) Mit 12, 13 haste natürlich noch keinen Durchblick.
(2) Ich knallte mich auf mein Bett und versuchte, den großen Durchblick zu kriegen.
(3) In Mathe hab' ich überhaupt keinen Durchblick.

▷ einer Sache (noch) nicht gewachsen sein (1); mit einer

schwierigen Sache fertigwerden (2); etwas überhaupt (nicht) begreifen (3)

durchchecken

Wir müssen unser kleines Urlaubsabenteuer noch einmal durchchecken.
▷ etwas überprüfen

durchhängen

Mensch, war das 'ne Nacht, ich häng' heute noch voll durch.
▷ müde sein; ein körperliches und/oder psychisches Tief haben

durchknallen

Laß den in Ruhe, der knallt doch durch.
▷ verrückt spielen; übertrieben reagieren
syn.: durchhauen

düsen

Komm, wir düsen noch eine Runde.
▷ (schnell) mit dem Motorrad fahren
syn.: abdüsen, rumdüsen

die Eier schaukeln

Was ich am Sonntag mache? Eier schaukeln!
▷ nichts tun, faulenzen

eindrehen

Ich hab derartig Kohldampf, ich muß mir erst ein Brötchen eindrehen.
▷ essen
syn.: einpfeifen, reindrehen

etwas eng sehen

Ärger dich nicht, das darfst du nicht so eng sehen.
▷ etwas einseitig beurteilen

entschärft sein

Jens ist nicht da, den hat's entschärft.

▷ kann in vielfältiger Bedeutung gebraucht werden: krank sein, einer Sache nicht gewachsen sein, verrückt spielen, übertrieben reagieren

eumeln

Plötzlich steht der Typ vor mir, da hab' ich vielleicht geeumelt.

▷ gucken, staunend die Augen aufreißen

faulen

Ich glaube, ich faule heute; mir ist eben so, heute faule ich.

▷ sich langweilen (wollen); sich nicht ganz wohlfühlen

fertig sein

Haste so was schon gehört? Der ist fertig, was.

▷ am Ende seines Lateins sein; nicht weiter können

den Finger ziehen

Zieh den Finger, ich warte auf dich!

▷ sich beeilen

fix und foxi

Mich kannst du umstoßen nach dem Tag, ich bin fix und foxi.

▷ abgespannt/erschöpft sein

flippig

Wie die aussieht! Würdest du so flippig rumlaufen?

▷ bunt und nicht sehr ordentlich angezogen sein

sich frischmachen

Komm nur morgen zu mir – da kannste dich frischmachen.

▷ eine unangenehme Sache erwarten
syn.: sich warmmachen

71

Grimm haben

Ich habe richtigen Grimm, wenn du nichts begreifst.
▷ sich ärgern

auf den Hals stellen

Vorhin erst 'ne Flasche Cola auf den Hals gestellt –
und schon wieder Durst.
▷ trinken

auf die Knete hauen

Hau nicht auf die Knete, wir glauben dir sowieso
nicht!
▷ angeben, auf einer Sache beharren
syn.: auf die Kacke/auf den Putz hauen

sich heiß machen

Mach dich doch nicht heiß – die Jacke findest du
schon wieder!
▷ sich aufregen, sich in eine Sache hineinsteigern, etwas
übertrieben ernst nehmen
syn.: sich porös machen
steigernd: gewaltig

aus der Hose kommen

Komm endlich aus der Hose, der Film fängt gleich
an.
▷ sich beeilen
syn.: aus der Hüfte/der Knete/dem Knick/dem Knie kommen

die Hufe an die Decke schmeißen

Prima, da kannste nur noch die Hufe an die Decke
schmeißen.
▷ sich herzlich amüsieren
syn.: die Füße an die Decke schmeißen

die Kiste läuft

Die Kiste läuft – ich habe das Geld für die Fahrkarte von meiner Mutter gekriegt.
▷ etwas ist in Ordnung

eine unsichere Kiste

Das ist eine unsichere Kiste, wenn du nicht mal das Geld für die Rückfahrt hast.
▷ eine unsichere Sache

über den Knorpel ackern

Na, dann woll'n wir mal noch einen über den Knorpel ackern.
▷ trinken

kommen

(1) Es kommt einfach saustark, wenn man nach Hause kommt und laut machen kann.
(2) Da kommt Prag lange nicht so gut.
▷ Ausdruck von Wohlbefinden (1) oder von Gefallen an etwas (2)

etwas in den Kopf leiern

Woll'n wir uns noch was in den Kopf leiern und dann gehn?
▷ trinken
syn.: etwas in die Rübe kippen

Krümelhusten haben

Ede ist draußen, er hat 'nen Krümelhusten.
▷ sich übergeben

eine Kuh fliegen lassen

Komm mit zu Gabi. Wir woll'n heute 'ne Kuh fliegen lassen.
▷ ausgelassen sein, sich amüsieren
steigernd: eine rosarote Kuh
syn.: die Fetzen fliegen lassen, eine Ziege loslassen

etwas läuft nicht

Hier läuft doch nichts. Wir gehn lieber.
▷ etwas ist langweilig, etwas entspricht nicht den Erwartungen
syn.: etwas läuft im Dreck, etwas läuft nicht rund

etwas leiert

Paß auf, Cola mit Wodka, das leiert!
▷ betrunken sein
syn.: etwas dreht/dröhnt

einen Lift kriegen

An der Autobahnauffahrt mußte stehn, da kannste
schnell 'n Lift kriegen.
▷ beim Trampen ein Auto mit Erfolg anhalten

sich liften lassen

Du sollst sofort nach Hause kommen, da kannste
dich liften lassen.
▷ bestraft werden, Ärger erwarten

jemanden linken

Laß dich nicht mit dem ein, der linkt doch jeden, der
ihm noch glaubt.
▷ jemanden betrügen, jemanden ausnutzen

etwas ist logo

Der Satz ist doch urst logo.
▷ etwas ist logisch/richtig/in Ordnung
steigernd: echt, urst

etwas geht nach hinten los

Ein falsches Wort – und die Sache geht voll nach hinten los.
▷ etwas hat eine falsche Wirkung, wird nicht richtig verstanden
steigernd: steil, total, voll

losjumpen

Also, jumpen wir los.
▷ weggehen, rennen

sich zum ... machen

Ich mach mich doch deinetwegen nicht zum Heinz.
▷ sich lächerlich machen
syn.: sich zum Appel, Clown, Hugo, Löffel, Obst, Robert,
Rudi, Turnschuh machen

'ne müde Mark machen

Beim Kegelaufstellen kannste leicht 'ne müde Mark
machen.
▷ Geld verdienen

Mugge

Das ist 'ne absolute Mugge, wenn die auftreten.
▷ sehr gut, gelungene Veranstaltung
steigernd: Übermugge

Null/null Bock haben

A: Kommst du mit zur Fete?
B: Nein, null Bock!
▷ keine Lust haben, zu träge für etwas sein
syn.: keinen Bock haben, minus Bock, zero Bock

ein Ohr abkauen

Soll ich dir erst ein Ohr abkauen, bevor du mir
glaubst?
▷ jemanden beschwatzen

etwas packen

Mach dir nur keinen Kopf, ich pack das schon.
▷ eine Sache bewältigen, etwas schaffen

sich eine Pfeife anbrennen

Wenn du die Jacke verloren hast, kannste dir 'ne Pfeife anbrennen.

▷ Strafe erwarten

der Planet prasselt

Ist das 'ne Hitze, der Planet prasselt wieder mal.

▷ die Sonne scheint kräftig

pofen

Der hört nichts, der poft 'ne satte Wimper.

▷ fest schlafen

Power machen

Wenn die nicht bald 'n bißchen Power machen, wird heute nichts mehr.

▷ Stimmung machen, sich in Bewegung setzen, in Gang kommen

powern

Ist das wahr? Das powert mich aus 'm Pantoffel raus.

▷ fassungslos vor Überraschung sein

rattenscharf

Die Käte ist doch rattenscharf.

▷ aufreizend

reinziehen

Ich zieh' mir lieber noch 'ne Cola rein, trinkt ihr nur Bier.

▷ trinken, auch: essen

einarmiges Reißen

A: Was macht 'n ihr heute abend?
B: Einarmiges Reißen!

▷ trinken (meist Alkohol) in größeren Mengen

ein Rohr brechen

Laß uns noch ein Rohr brechen, dann gehen wir.
▷ eine Flasche öffnen und austrinken

volles Rohr

Jetzt mach mal volles Rohr, dann schaffen wir es noch.
▷ sich beeilen, Gas geben
syn.: Welle machen

Rotz

Mach doch mit, bloß so aus Rotz.
▷ aus Spaß, zum Vergnügen

sich eine Rübe machen

Mach dir keine Rübe, das packen wir schon.
▷ sich unnötige Gedanken machen
syn.: sich einen Harten machen

rüberbringen

Wenn ich kein Gefühl mehr rüberbringe, mach' ich lieber Schluß.
▷ ein Gefühl aufbringen, empfinden
steigernd: voll

rüberkommen

Da kommt unheimlich viel Power über die Bühne.
▷ ein positives/starkes Gefühl, das den Adressaten auch erreicht
syn.: das kommt rüber, da kommt was rüber

rüberwachsen lassen

Laß mal 'n Brötchen rüberwachsen.
▷ geben, herüberreichen

rumhängen

Was soll ich bei euch, da hängen sie auch bloß rum.
▷ nichts tun, sich langweilen, ziellos Zeit vergeuden

rumstinken

Was stinkste denn hier rum, wir können doch nichts
dafür.
▷ aus schlechter Laune heraus mit jemandem schimpfen

rumstressen

Ich bin gestern in der Stadt bloß rumgestreßt.
▷ herumlaufen, in Hektik einen Punkt nach dem anderen
erledigen

rumzucken

Da werden se wieder rumzucken, wenn ich so spät
nach Hause komm'.
▷ sich aufregen, schimpfen; tanzen

rund sein

Der Typ ist wieder rund wie 'n Buslenker.
▷ betrunken sein
syn.: abgefüllt sein, angebumst sein, angeschossen sein, betütert sein, wie ein Buslenker, fett sein, full sein, ein Fullinger sein, rattendattenzu sein, schneckenfett sein, 'nen Schuß
haben, volle Sphäre haben, stinkig sein, unter Strom stehen,
im Tee sitzen, einen im Tee sitzen haben, zu wie ein Topf sein

sich rund machen

Wart nur, wenn du zu spät kommst, da kannste dich
rund machen.
▷ Ärger/Strafe erwarten

auf dem Sand sein

Nachtschicht gehabt, bin voll auf dem Sand.
▷ erschöpft sein, mit einer Sache am Ende sein

den Schirm zuklappen

Ehe ich zugucke, wie die mit dem andern geht, da
klappe ich lieber den Schirm zu.
▷ mit einem Mädchen Schluß machen, eine Freundschaft
beenden

etwas schleift

Der hat Krach mit seiner Freundin. Da schleift's.

▷ etwas klappt nicht
steigernd: mächtig, total

schnallen

Na, haste geschnallt, was ich dir sage?

▷ etwas begreifen, verstehen
syn.: checken, ticken

das Schwein töten

Wir werden das Schwein schon töten, da kannste
dich drauf verlassen!

▷ Versicherung, daß etwas gut zu Ende gebracht wird
syn.: das Ei wird schon gelegt

Schweinebraten fressen

A: Mensch, da haste aber Glück gehabt.
B: Na klar, Schweinebraten gefressen.

▷ Glück haben, aus einer schlechten Sache gut herauskommen

auf etwas spitz sein

Laß den in Ruhe, der ist auf die Käte spitz.

▷ eine Sache oder Person haben wollen

etwas ist stressig

Das ist heute wieder so 'n stressiger Tag, wo keiner
Ruhe gibt.

▷ hektisch, angestrengt; muß nicht absolut verstanden werden, bezieht sich in jugendlicher Übertreibung nur auf kleine Anforderungen

Terror machen

Der macht wieder dermaßen Terror! Dabei ist überhaupt nichts passiert.

▷ wenn sich nach Meinung der Jugendlichen jemand übertrieben über eine Sache aufregt

steigernd: total
syn.: einen Aufstand machen, Panik machen

Trieb auf etwas haben

A: Haste Trieb auf Disko?
B: Nein, ich hab' heut' überhaupt keinen Trieb.
▷ Lust haben auf etwas

Ulf rufen

Klaus sieht ganz grün aus, der muß mal Ulf rufen.
▷ sich übergeben
syn.: abulfen, ulfen, das Klo anbrüllen, Wolfgang brüllen

etwas vergessen

(1) Die neue LP kannste voll vergessen!
(2) A: Du wolltest doch die neue LP von mir.
      B: Vergiß es!
▷ etwas ist so schlecht, daß man es nicht zu registrieren braucht (1); feste Wendung, wenn man (meist aus Enttäuschung) ein Angebot, eine Person oder eine Sache nicht mehr zur Kenntnis nehmen will (2)

verkauft sein

Die Braut ist schon verkauft, die kannst du nicht mehr haben.
▷ einen festen Freund haben

verkeimt sein

Mensch, ist die Bude hier verkeimt.
▷ eklig, schmutzig; mitunter auch auf Personen bezogen
Vergleiche *Keim* (S. 44)!
syn.: ätzig, hufig, keimig, pekig, süffig, trunkig, versäuft, versifft, versüfft/versypht

jemandem etwas verklickern

Paß auf, das mit den Wörtern verklickere ich dir nochmal ganz genau.
▷ jemandem etwas genau erklären/auseinandersetzen

eine Verlade machen

Die hat doch 2 Stunden an der Ecke gestanden. Der hat 'ne große Verlade gemacht.

▷ jemanden betrügen, veralbern

steigernd: groß, total

vollkoffern

Ich laß mich doch nicht von dir pausenlos vollkoffern.

▷ beschimpfen, ungerechtfertigte Vorwürfe machen

sich keine Waffel machen

Mach dir doch keine Waffel, das biegen wir schon wieder hin.

▷ sich unnötige Gedanken/Sorgen machen

wie ein Schluck Wasser aussehen

Du siehst aus, wie 'n Schluck Wasser in der Kurve. Was ist dir denn passiert?

▷ schlecht aussehen

wegfaulen

Wenn du so was hörst, dann faulste einfach weg. Nee, wirklich, mich fault's weg!

▷ Gefühlsmischung von Begeisterung, Verwunderung und leichter Empörung

syn.: mich haut's weg

sich wegschmeißen

Ich könnt' mich wegschmeißen – so komisch ist das.

▷ sich köstlich amüsieren, herzlich lachen

syn.: sich weghauen, sich wegklatschen

wegpowern

Den müßte man einfach mal wegpowern, damit er was merkt.

▷ ungenaue Angaben, gegen jemanden vorzugehen

die Beine wegsemmeln

Ich denk', mir semmelt's die Beine weg, wie der so vor mir steht.

▷ sehr erschrecken; sehr erstaunt sein

einen Zapfen ausfahren

Wenn die mich wegen der Musik ständig anmachen, kann ich nur noch 'nen Zapfen ausfahren.

▷ gekränkt sein, sich ärgern, beleidigt sein oder tun

einen Zapfen/Zappen haben

Dem biste voll ausgeliefert, da haste 'nen Zappen, wenn der was merkt.

▷ Pech haben, erwischt werden bei einer unangenehmen Sache und dafür mit Bestrafung rechnen müssen
steigernd: Edelzapfen, Riesenzapfen

sich zerfetzen

Ich könnte mich zerfetzen, wenn der so seine Schoten erzählt.

▷ unmäßig lachen
syn.: sich zereiern, sich zerrupfen, sich zerschießen

eine Ziehung machen

Wir gehen noch in eine Destille eine Ziehung machen.

▷ trinken (meist Bier)

Zoff machen

Mach keinen langen Zoff – wir gehen ja schon.

▷ langes Gerede um etwas machen, sich umständlich benehmen

Jugendlichen gefällt vieles

Ihnen gefällt etwas überaus gut

auf etwas/jemanden abfahren

Auf die Blonde fahr' ich voll ab.

▷ etwas/jemand gefällt sehr gut
steigernd: echt, total, voll
syn.: auf etwas/jemanden abdriften

abgehen

Die Jungs sind prima, bei der Musik geht doch was ab.

▷ etwas wirkt sehr gut/überzeugend; vor allem emotional wirkungsvoll, das aber auch auf Können beruht

abknien

Heute habe ich X gehört, Mann, ich hab' abgekniet vorm Radio.

▷ begeistert/hingerissen sein; vor Begeisterung hinknien

absolut

(1) Der Film ist 'n absoluter Schocker.
(2) Das gefällt mir auch. Das ist einfach absolut.

▷ etwas ist sehr gut mit dem Anspruch auf Vollkommenheit

affengeil

Der Titel ist einfach affengeil. Wirklich, die haben 'ne affengeile Musik drauf.

▷ etwas ist aufregend gut, die Grundbedeutung ist völlig verschwunden und nur noch die positive Wertung geblieben
steigernd: oberaffengeil, affentittengeil, affentittenturbogeil

affenstark

Hast du sein Foto gesehen? Das ist 'n affenstarker Typ!

▷ positive Wertung eines Menschen, die vor allem subjektiv gefärbt ist und mit äußerer Stärke nichts zu tun hat

syn.: bärenstark

astrein

Der Urlaub war astrein. Auch die Kumpels waren astrein.

▷ Dinge und Personen, die in einem bestimmten Zusammenhang ohne Fehler sind bzw. die einem bestimmten Anspruch genügen

sich ein Auge holen

Auf der Messe kannste dir 'n Auge holen.

▷ von etwas begeistert sein, das man nur sehen, aber nicht haben kann; etwas Außergewöhnliches sehen

ausflippen

Ich flipp' aus. Der Klaus kommt wirklich zu meiner Fete.

▷ so begeistert/glücklich über etwas sein, so daß man nicht mehr normal reagiert; häufig als zusammenfassende Wendung „Ich flipp' aus!" gebraucht

bärisch

Das sind bärische Werke, die neuesten Musiktitel!

▷ sehr gut, auffallend

syn.: Der Bär ist los!

etwas ist bestätigt

Dein Kaffee ist bestätigt, den kann man trinken.

▷ etwas wird in seiner Qualität akzeptiert

Bock auf etwas haben

Ich hab' heut dermaßen Bock auf Bier!

▷ Appetit/Lust auf etwas haben

bocken

Das bockt!

▷ allgemeine Feststellung des Wohlbefindens, der guten Stimmung oder des Gefallens

cool

(1) Der kann unheimlich cool sein, ist überhaupt 'n cooler Typ.
(2) Die hört den ganzen Tag nur ihre coole Musik.

▷ Ein *cooler Typ* wird sowohl von Mädchen wie von Jungen bewundert, weil er Selbstbewußtsein und Überlegenheit ausstrahlt und damit unantastbar wirkt (1); davon wird eine allgemeine positive Wertung für einen bestimmten Musiktrend abgeleitet (2).

deli

Die Platte ist einfach deli, wirklich.

▷ positive Wertung

drauf sein

Ich bin heut' echt gut drauf.

▷ sich gut fühlen, etwas gut können
steigernd: echt

durchhauen

Der Kassetten-Cover-Service haut voll durch.

▷ etwas gefällt sehr gut und/oder ist erfolgreich
steigernd: voll
syn.: einchecken, einhauen

echt sein

Der gehört zu unserer Clique, der ist echt.

▷ positive Wertung für eine Person, die in einen bestimmten Zusammenhang paßt

edel

Die Idee find' ich wirklich edel.
▷ etwas ist sehr gut, hervorragend
steigernd: sauedel

das blanke Extrem

Eure Zeitung ist das blanke Extrem.
▷ soll als Kompliment verstanden werden; etwas ist positiv,
weil es nicht allgemeinen Normen verpflichtet ist
syn.: fettes Ding

fetzen

Das fetzt!
▷ Eindeutige, nachdrückliche, festgefügte, losunghafte
Feststellung, daß etwas sehr gut ist; die Wendung paßt fast
ausnahmslos für alle Situationen; dies und die emotionale
Komponente der Wendung haben dazu geführt, daß sie von
anderen Altersgruppen (Kindern und Eltern) nachgeahmt
wurde.

fetzig sein

Das ist ein fetziger Titel.
▷ sehr gut, sehr nett; seltener als die verbale Form gebraucht

eine Wolke fetzt

**Wir gehen alle zusammen zur Disko, da fetzt 'ne
Wolke.**
▷ positive Bewertung eines Vorgangs, bei dem vor allem
Stimmung und Trubel zu erwarten sind

fundamental

A: Wie war's im Ferienlager?
B: Fundamental!
▷ positive Wertung; meist nur in der Form eines Ein-Wort-
Satzes

geil

> Ich finde eure Idee echt geil.

▷ positive Bewertung einer Sache, seltener für eine Person, weil damit die ursprüngliche Bedeutung gekoppelt wird, die in der Bedeutung ‚gut' verlorengegangen ist
steigernd: affengeil, edelgeil, oberaffengeil, ottigeil, absolut, echt, total

aufgestylt

> Wenn sie wenigstens noch 'ne aufgestylte Frisur hätte, aber so ...

▷ modern, aus bestimmter Sicht positiv bewertet
syn.: hochgestylt

heiß

> Das ist 'n ganz heißes Heft.

▷ sehr gut, aufreizend

vom Hocker reißen

> Das reißt einen glatt vom Hocker.

▷ etwas ist sehr gut/aufreizend, als feste Wendung gebraucht

keimfrei

> (1) Jetzt sind meine Klamotten wieder keimfrei.
> (2) Der Typ ist absolut keimfrei.

▷ sauber sein in wörtlicher (1) und übertragener Bedeutung (2); auch als allgemeine positive Wertung

Messe/messe

> (1) Die Story ist messe, echt.
> (2) Was der erzählt, das ist die blanke Messe.

▷ positive Wertung einer Sache oder einer Handlung
steigernd: absolute/blanke Messe
Das Wort *Messe* gehört zu den Wörtern, die sowohl als Substantiv wie auch als Adjektiv gebraucht werden können, was wir durch Groß- und Kleinschreibung unterscheiden. Dar-

aus entstehen variable Wendungen wie *Das ist messe/'ne Messe/absolute Messe/'ne absolute Messe.*

motzen

Oh, prima, du hast Karten. Das motzt!

▷ etwas ist gut, gefällt sehr gut, als feste Wendung vor allem gebraucht

syn.: einmotzen, otzen

poppig

Das ist die poppigste Schau, die es gibt.

▷ sehr gut, aufreizend; entspricht jugendlichen Modetrends/Geschmacksrichtungen

syn.: das poppt

eine urste Pose

Die Scheibe ist 'ne urste Pose.

▷ eine Sache ist besser als andere

syn.: eine urste Sache

Power

In den Kassetten steckt vielleicht Power!

▷ etwas ist sehr gut, die Nebenbedeutung ,Kraft' ist dabei immer mit enthalten

protoprima

Die Sache mit dem Cover für Kassetten ist protoprima.

▷ etwas ist überdurchschnittlich gut

ein irrer Renner

Hast du am Samstag den Film gesehen? Das war 'n irrer Renner.

▷ eine Sache, die aufreizend wirkt und vor allem das Gefühl anspricht

riesig

Du hast mir was mitgebracht? Das find' ich riesig.

▷ etwas sehr gut finden

syn.: sahnig

Sahne/sahne

(1) Das hast du gut gemacht, wirklich, volle Sahne.

(2) Das ist ein sahne Einfall.

▷ etwas gefällt sehr gut und wird mit großer Sympathie aufgenommen (1), auch als zustimmende Wendung (2)

syn.: der blanke Rahm, die blanke/volle Sahne

sahnig

Von den sahnigen Jungs bin ich ein großer Fan.

▷ sehr sympathische/gut aussehende Personen, seltener auch für Dinge

satt

(1) Das ist mal 'ne satte Orgel.

(2) Guck mal, die satte Käte da.

▷ beeindruckend, über das Gewöhnliche hinausgehend, das kann sich auf einen Musiktitel beziehen (1) oder ein Mädchen (2)

sauber

A: So, jetzt bin ich fertig damit. Wie sieht es aus?

B: Sauber!

▷ als feste Wendung zustimmende Bestätigung, daß etwas sehr gut ist

scharf

Das ist 'n echt scharfes Gefühl.

▷ sehr gut, ungewöhnlich, auch: gut aussehend

schocken

Hast du das gesehen? Das schockt, was?

▷ etwas gefällt sehr gut, als feste Wendung gebraucht

Spitze

Spitze! Wirklich, einsame Spitze!

▷ umfassende positive Wertung für Sachen, Handlungen und Personen

steigernd: absolute, echte, einsame Spitze

spitzenmäßig

Das Wochenende war einfach spitzenmäßig.

▷ etwas ist ausgezeichnet, überragend

syn.: stark

stark

Der Sound ist echt stark.

▷ etwas ist ausgezeichnet

steigernd: absolut, irre, echt, sagenhaft, total, urst, saustark

syn.: spitzenmäßig

stehen auf etwas

Jörg steht auf Gefahr, ich steh' auf Zukunft.

▷ eine Sache oder Haltung gut finden, sich für etwas einsetzen, etwas bevorzugen

super

(1) Das Bild von X ist einfach super.
(2) A: Komm, wir gehen ins Kino.
     B: Oh, super!

▷ positive Wertung mit sehr persönlicher Anteilnahme (1); auch als umfassende Wendung (2)

tierisch

(1) Was der da gemalt hat, ist einfach tierisch.
(2) Im Klub war gestern tierisch was los.

▷ positive Wertung einer Sache, die aber mit einer Nebenbedeutung ‚ungewöhnlich‘/‚aus dem Rahmen fallend‘ verbunden ist (1), vor allem in (2) ist der Verweis auf Außerordentlichkeit deutlich ausgeprägt

Traum/traum

Die Platte ist einfach traum.

▷ etwas ist sehr gut, geht über positive Erwartungsvorstellungen hinaus

übelst

Klausinger hatte 'ne übelste Alte mitgebracht.

▷ positive Wertung, die aber nicht uneingeschränkt ist, die negative Grundbedeutung ist deutlich erhalten; auch: auffallend, beeindruckend

Über-

Die Band macht 'ne Übermusik, da kannste voll drauf abfahren.

▷ positiv wertendes Wortbildungselement bei Substantiven
syn.: Überlied

urster Hammer

Das wird 'n urster Hammer, wenn wir zusammen zelten.

▷ umfassende positive Einschätzung einer Angelegenheit

Wahnsinn

(1) Die Reise ist einfach Wahnsinn.
(2) Und wenn du da so allein in den Bergen bist, ohne Leute und alles – einfach Wahnsinn.

▷ positive Wertung einer Sache oder Person im Sinne von ‚wahnsinnig gut' (1), auch als umfassende positive Bewertung, häufig zum Ausdruck von Gefühlen (2)

Wahnsinns-

Die Gruppe X hat eine Wahnsinnsrille rausgebracht.

▷ Wahnsinns- als positiv wertendes Wortbildungselement

Welle

(1) Das macht Welle, wenn wir zusammen trampen.
(2) Die neuen Fotos der Band sind super. Ist 'ne Welle.

▷ etwas macht Spaß (1), etwas ist neuartig, schön und eindrucksvoll (2)

Welt

(1) Ich finde es übrigens ausgesprochen Welt, wenn die Weiber mit Hut gehen.
(2) (Ist 'ne) Welt!

▷ positive Wertung einer Sache, die nicht dem Gewöhnlichen/Normalen entspricht, mitunter mit leichter Skepsis vermischt (1); umfassende positive Wendung (2)

weltmäßig

Die Platte ist weltmäßig.

▷ sehr gut, modern, außergewöhnlich sein

Ihnen gefällt etwas überhaupt nicht

alle machen

(1) Das macht mich alle, wie der redet.
(2) Du machst mich alle, wenn du nicht schneller machst.

▷ etwas stört, wirkt unangenehm (1), jemanden sehr stören, nervös machen (2)

Arsch

(1) Die Musik war total für 'n Arsch.
(2) Das hat doch keinen Arsch, was du da machst.

▷ etwas ist sehr schlecht, auch: enttäuschend (1); etwas ist sinnlos (2)
syn.: arschlos

Asche

Die Musik von denen ist doch Asche.
▷ etwas taugt nichts, ist sinnlos; entspricht einem müden Abwinken oder ist damit verbunden, seltener bei Personen

astronomisch

Der Unterricht war wieder mal astronomisch.
▷ realitätsfern, langweilig, auch: übergroß

ätzend

(1) Ich koche ganz gern mal, nur der Abwasch ist ätzend.
(2) Den Film mußte gesehen haben, der ist unheimlich ätzend.
(3) Auf meine Alte laß ich nichts kommen, die ist echt ätzend.
▷ etwas ist sehr schlecht, anstrengend (1); oft eine Zwischenstellung zwischen ‚gut' und ‚schlecht' einnehmend (2); kann auch ironisch gemeint sein (3)

beeumelt

Der ist ja beeumelt, der sammelt noch Autos.
▷ albern/dumm sein, sich lächerlich machen
syn.: beknackt sein

belastend

(1) Der Typ ist heute wieder mal echt belastend.
(2) Und dann gibt's nicht den richtigen Draht – das ist belastend.
▷ etwas wird als unzumutbar empfunden (1); als feste Wendung drückt es allgemeinen Unmut über ein Problem aus (2)
steigernd: echt, wahnsinnig

Bock machen

Das macht heute wieder dermaßen Bock!
▷ etwas gefällt nicht, ist langweilig oder unzumutbar; als feste Wendung ironisches Gegenstück zu *Bock haben*

altes Ding

Das ist doch 'n altes Ding, was du hier abziehst.

▷ etwas ist langweilig, überholt, entspricht nicht den Erwartungen

syn.: alt wie der Wald

der nackte Ekel peitscht

Mensch, mich peitscht der nackte Ekel, ich muß noch Schuhe putzen.

▷ großen Widerwillen vor einem Sachverhalt haben

zum Elch werden

Ich werd' zum Elch! Lok hat gewonnen!

▷ sich sehr ärgern oder/und sich sehr wundern

syn.: zum Schwein/Vieh werden

fett

Das wird heute wieder fett, drei Arbeiten an einem Tag!

▷ etwas ist über die Norm hinaus belastend, anstrengend, fast unzumutbar

syn.: fettes Ding

fies

(Du bist) fies!

▷ als Antwort auf ein vorangegangenes Gespräch, wodurch der behandelte Sachverhalt oder die Person als äußerst negativ eingestuft werden

flippig

(1) Laß den in Ruhe, der ist heute wieder mal flippig.

(2) Guck mal, wie flippig die rumläuft.

▷ sich auffallend benehmen, nervös sein (1); Modeattribute übertrieben verwenden, auch: nicht gepflegt, schmutzig aussehen (2)

94

etwas geht ...

Das geht mir enorm auf die Ketten!

▷ etwas stört sehr, was verschiedene Gründe haben kann
syn.: den Docht, den Keks, den Kranz, den Sack, aufs
Schwein, auf den Senkel

Gosse sein

Wie kann man nur X-Fan sein. Das ist doch absolute
Gosse.

▷ etwas wird (meist subjektiv) abgewertet
steigernd: absolut, total

der letzte Heuler

Hast du die Platte von X? Das ist doch der letzte
Heuler.

▷ negative Bewertung einer Sache, die meist mit Musik zusammenhängt, seltener bei Personen
syn.: der letzte Hänger
Im Gegensatz zum jugendspezifischen Gebrauch wird *der
letzte Heuler* in der allgemeinen Umgangssprache in positi-
vem Sinn ‚der letzte Schrei' verwendet.

hohl

Das finde ich hohl, wenn du so tust, als kannste Eng-
lisch.

▷ etwas ist sinnlos, hat keinen Zweck, wird negativ einge-
schätzt

Horror

Wenn ich auf dem Bett liege und will Musik hören,
und dann ruft meine Mutter – das ist der absolute
Horror.

▷ bezeichnet ein negatives Gefühl, das aus einer unangenehmen Situation entstehen kann

tote Hose

Wenn's drauf ankommt, dann tote Hose!

▷ es passiert nichts, enttäuschte Hoffnungen

keimig

Den Typ möcht' ich nicht mal anfassen, der ist ja kei-mig.

▷ etwas/jemand ist schmutzig, schleimig (auch in übertragener Bedeutung)

syn.: bekeimend sein

das Messer in der Tasche aufgehen

Wenn ich seh', daß jemand ein Tier schlägt, da geht mir das Messer in der Tasche auf.

▷ wütend sein, hilflose Wut unterdrücken müssen

Müll

(1) Der Klub in X ist doch totaler Müll.
(2) So ein Müll!

▷ negative Bewertung einer Sache, entspricht vor allem nicht den Erwartungen (1); auch als feste Wendung, die Unzufriedenheit ausdrückt (2)

syn.: Asche, Käse, Schnulli, Schrott, Stuß

nichts sein

Nee, das war wohl nichts? Na, dann lassen wir's.

▷ negatives Gesamturteil, wenn ein Sachverhalt vom Partner nicht akzeptiert wird

Null/null Trieb

Kino? Nee! Wegfahren? Nee. Ich hab' heute null Trieb.

▷ keine Lust haben

pekig

Äh, so 'n pekiges Hemd, wie der anhat.

▷ eklig, schmutzig, seltener: unmodern

sinnlos

Warum soll ich denn die Hosen nicht anziehen, das ist doch sinnlos!

▷ Allgemeine negative Bewertung; das Wort wurde hier weniger wegen der Bedeutungsveränderung, sondern vor allem wegen der Häufigkeit der Verwendung aufgenommen; Jugendliche bezeichnen alles, was ihnen nicht gefällt, als *sinnlos*.

Es ist alles zu spät.

formelhafte Wendung, um etwas abzulehnen oder als negativ bewertet einzustufen, aber auch sehr allgemein als (pessimistischer) Abschluß eines Gesprächs, wenn auch nur einseitig durch den Jugendlichen

Das ist Verarschung vierten Grades!

▷ allgemeine umfassende Ablehnung eines Sachverhalts

Jugendliche halten nicht gern maß

Sie sind furchtbar überrascht

abschnallen

Da schnallste vielleicht ab!
▷ Ausdruck verblüffter Verwunderung, teilweise auch ärgerlich gefärbt

Affe

Da soll doch der Affe kegeln.
▷ Ausdruck dafür, daß Unmögliches wahr geworden ist, mehr positiv als negativ gebraucht

dickes Ei

(1) Jetzt kommt der auch noch! Ach du dickes Ei!
(2) Die Arbeit war wieder mal ein dickes Ei!
▷ allgemeiner Ausdruck der ärgerlichen Verwunderung (1); negative Bewertung einer Sache (2)

Elch

Ich werd' zum Elch! Der hat die Platte gekriegt.

▷ stereotyper Ausdruck des Staunens

Eskimo

Das haut den stärksten Eskimo vom Schlitten.

▷ stereotyper Ausdruck des Staunens

syn.: Das schlägt dem Faß die Krone ins Gesicht.

faulen

Faul ich denn oder was?

▷ eine Sache wird für unmöglich gehalten

syn.: wegfaulen

Ich denk', mein Hamster bohnert!

▷ lange Zeit die beliebteste Form, um Staunen, Verwunderung oder gespielte Empörung auszudrücken

syn.: Ich glaub', ...

..., ich brech zusammen.

..., mich streift 'n Bus.

..., ich geh' ein.

..., mich knutscht ein Elch.

..., mein Frosch kriegt Haare.

..., meine Hose brennt.

..., ich lüge.

..., ich steh' im Nebel.

..., meine Oma säuft.

..., mein Schwein pfeift.

..., ich spinne.

..., mein Trecker humpelt.

..., mein Sparschwein quiekt.

..., ich hab' 'nen Sprung in der Schüssel.

..., ich geh' am Stock.

..., ich steh' im Wald ... und die Füchse sagen du zu mir.

..., ich werd' nicht wieder.

..., ich werd' weich.

Hocker

Du mußt dir die neue Platte mal anhören. Das haut vom Hocker.

▷ Ausdruck des Staunens/der Be- und Verwunderung

kaputt

Ich geh' kaputt. Der kommt auch zur Disko!

▷ gemischte Gefühle, die vor allem aus Verwunderung bestehen, z. B. wenn unerwartet ein Lehrer bei der Disko erscheint

syn.: Da gehste am Stock! Da poppt's mich weg!

Sie übertreiben alles

absolut

Die X sind absolute Spitze.

▷ eine Endgröße angebend, darüber gibt es nichts mehr; vorrangig Steigerung bei eindeutig positiven oder eindeutig negativen Wertungen

beinahe

(1) Du nervst mich beinahe gar nicht.
(2) Es war beinahe hervorragend.

▷ Signal für eine ironische Gegenteilswirkung

blank

(1) Die Disko war die blanke Show.
(2) Das ist der blanke Horror.

▷ wirklich, wahr; im Sinne einer Steigerung zum Positiven (1) oder Negativen (2)

echt

(1) Also, ich find' das Buch echt geil.
(2) Da könnt' ich mich echt vergessen.
(3) Das ist echt 'n Wort.

▷ In der Bedeutung ‚sehr' meist mit Adjektiven (1) oder in

der Bedeutung ‚vollkommen' (2); beide Bedeutungsnuancen haben einen gewissen Absolutheitsanspruch in der Gesamtaussage; dazwischen steht die Bedeutung von (3), die den Sachverhalt als richtig bestätigt.

glatt

Das kannste glatt vergessen.
▷ vollkommen, überhaupt, ohne Schwierigkeiten
syn.: absolut

irre

Mensch, der Sound ist irre stark.
▷ Steigerung vor allem bei positiven Wertungen

mit links

Das schaff' ich doch mit links und 40 Fieber.
▷ Beteuerung, daß eine Sache leicht bewältigt wird
syn.: Da brauch' ich überhaupt nicht hinzusehen.

maximal

Die geht mir maximal auf die Nerven.
▷ die Absolutheit einer Aussage unterstreichend

sau-

Das Ding ist nicht nur fett, das ist sogar saufett.
▷ Wortbildungselement, um eine (meist) positive Aussage noch zu beteuern
syn.: sauedel, saugeil, saustark

scheiß

So 'ne scheiß Disko, ich hab' mich bloß geärgert.
▷ stark emotional gefärbte negative Aussage
Die Schreibweise gleichen wir hier ähnlichen Formen von „Null", „Messe" oder „Sahne" an, weil u. E. ein inhaltlicher Unterschied besteht zwischen dieser Form und einer Zusammensetzung (Scheißdisko).

wie 's Tier

Der ist gerannt wie 's Tier.

▷ ein Vergleich, der immer Extreme ausdrückt

tierisch

(1) Der Mann ist tierisch in Ordnung.
(2) Die Bilder von den Sängern sind tierisch gut.
(3) In dem Schuppen war tierisch was los.

▷ gewollte Übertreibung einer Aussage im Sinne von ‚absolut' (1), ‚sehr' (2) oder ‚sehr viel' (3)
syn.: zu (2) echt

total

(1) Das Buch ist total schwer zu kriegen.
(2) Der spinnt ein klein wenig total.

▷ Steigerung einer schon negativ gefärbten Aussage (1); als Wendung eine absolut negative Aussage vorsichtig einschränkend (2)
syn.: zu (1) absolut, echt

übelst

Das war vielleicht 'ne übelst schwere Arbeit.

▷ im Sinne von ‚sehr', ‚stark' mit einer negativen Nebenbedeutung

urst

(1) Die Antwort ist doch urst logo.
(2) Die Käte sieht doch urst gut aus.
(3) Ich habe urst abgestunken.
(4) Ich glaube, er freut sich urst sehr darüber.

▷ Die Allgemeinbedeutung ist ein positives Unterstreichen einer Aussage; Varianten dazu sind ‚absolut/vollkommen' (1), sehr (2), ‚groß' im Sinne von ‚große Wut haben' (3); nur noch unterstützenden Charakter einer schon formulierten Aussage (4).
syn.: urisch

voll

(1) Das Bild ist volle Sahne.
(2) Der macht sich doch voll zum Heinz.
(3) Ich bin voll drauf auf der Musik.

▷ Bei einer relativen Verwendungsbreite konzentriert sich die Bedeutung auf ‚absolut', ‚vollkommen'; dabei kann ein subjektives Engagement mitschwingen (3)

wahnsinnig

Der Stoff ist wahnsinnig poppig.

▷ sehr häufig als Steigerungselement gebraucht

Wahnsinns/wahnsinns-

Damit habt ihr mir eine wahnsinnsgroße Freude gemacht, mit dieser Wahnsinnsrille.

▷ Wortbildungselement bei Adjektiven und Substantiven, um eine positive Aussage zu machen oder zu unterstreichen

Sie können auch ganz cool bleiben

abkotzen

Mann, bei Beat kannste doch total abkotzen.

▷ eine Sache ist langweilig, gefällt nicht

abschmatzen

Fernsehen? Kannste abschmatzen, ist was für Kinder.

▷ etwas ist uninteressant
syn.: das kannste vergessen

action

Action läuft nicht mehr!

▷ etwas interessiert nicht, es ist nichts los; Ausdruck allgemeiner Ablehnung und Desinteresses

analegal

Das ist mir doch analegal, was der von mir denkt.

▷ etwas ist absolut uninteressant, sehr derb

syn.: scheißegal

Arsch

Das geht mir drei Kilometer am Arsch vorbei.

▷ etwas ist jemandem vollkommen gleichgültig

steigernd: meterweise, fingerbreit

Arschrunzeln

Das kostet mich ein eiskaltes Arschrunzeln.

▷ etwas wird ohne große Anstrengung erledigt (zumindest mit Worten)

syn.: Das mach ich mit links und 40 Fieber.

etwas draufhaben

Mathe! Hab' ich voll drauf.

▷ etwas vollkommen beherrschen/gut können, was nicht den Tatsachen entsprechen muß

Bock haben

Hab' ich vielleicht 'nen Bock auf die Party!

▷ ironisch in der Bedeutung ‚keinen Bock haben‘, Ausdruck der Lustlosigkeit

syn.: keinen Trieb haben

fühlen

Fühl mal, wie nah mir das geht.

▷ feste Wendung zum Ausdruck von Gleichgültigkeit; Zurückweisung eines Vorwurfs

Höhepunkt

Eine Reise nach Bulgarien – das ist doch kein Höhepunkt.

▷ vorgetäuschte Gleichgültigkeit, Abwertung einer positiven Sache

syn.: keine Hürde, kein Test

irgendwie

Irgendwie geht der mir voll auf den Docht.

▷ das sehr allgemeine *irgendwie* drückt die Gleichgültigkeit oder Distanz aus, die man gegenüber dem ganzen Sachverhalt hat oder zu haben vorgibt

löten

Komm, wir gehn nach Hause, hier ist nichts mehr zu löten.

▷ es bleibt nichts mehr zu tun, es wird nichts mehr passieren

out sein

Seit heute bin ich absolut out.

▷ bei einer Sache nicht mehr mitmachen, keine Lust haben, sowohl innerlich wie äußerlich nicht mehr beteiligt sein

schleifen

Zum Training geh' ich nicht mehr. Das schleift doch.

▷ allgemeine Unlust ausdrückend, auch: Interesselosigkeit, etwas wird als langweilig eingestuft

trocken

Die Arbeit ist doch keine Hürde, die mach' ich ganz trocken.

▷ nach der Vorstellung ‚nicht in Schweiß geraten', etwas angeblich oder wirklich leicht bewältigen

verbommeln

Das Wochenende bleib' ich zu Hause, das kannste verbommeln.

▷ etwas ist nicht wichtig
syn.: kannste vergessen

Wie jugendspezifische Texte aussehen

Text 1
„Ich komme hier nicht drum herum, fünf Worte über die Greise zu sagen. Mein Greis ist ein dürrer Typ mit Halbglatze und vierzig. Der Greis arbeitet irgendwas mit Biologie und Chemie und Pillen und macht das in Buch in irgendeinem Riesenstall, wo sie zweihundert oder zwei Millionen Eierköpfe eingesperrt haben, damit sie was mit Biologie und Chemie und Pillen machen.
Abends ist der Greis still. Früher interessierte er sich für Fußball, aber seit ein paar Jahren ist er Sammler. Er hat ungefähr drei Dutzend Modellokomotiven. Diesel und Dampf und elektrisch und alle möglichen Baujahre und Firmen. Aber Lokomotiven gibt es längst nicht so oft wie zum Beispiel Geldstücke, und deswegen sammelt der Greis zusätzlich Münzen. Zehn-Mark-Baden von achtzehnhundertzweiundsiebzig und Zwei-Mark-Lippe von neunzehnhundertsechs und so. Die Münzen hat er in einem kleinen dunkelbraunen Rollschrank mit lauter flachen Schüben. Oben auf dem Rollschrank stehen die Modellokomotiven. Bis vor einem Jahr hätte ich gesagt, der Greis ist nicht umwerfend, aber er ist in Ordnung, Tatsache.
Wahrscheinlich hätte ich vor einem Jahr auch dasselbe von der Greisin gesagt, und jedenfalls muß ich feststellen, daß sie ungeheuer rumort. Mann, die schafft sich! Zum Beispiel, die Greisin hält Vorträge, gleichzeitig besucht sie Vorträge. Manchmal frage ich mich, warum sie Vorträge besucht, wenn sie selber welche hält. Die Greisin ist vierzig wie der Greis und will irgendeine Prüfung machen. Ihr Job ist Ingenieur. Irgendwas mit Kältetechnik. Ich kann mir nicht viel darunter vorstellen. Ich verstehe nichts davon. Interessiert mich auch nicht, sachlich."
(Rolf Schneider, Die Reise nach Jaroslaw, 1974)

Text 2

„. . . Fünf Minuten später hatte ich das Ding wieder in der Hand, und drei Stunden später hatte ich es hinter mir. Ich war fast gar nicht sauer, Leute. Dieser Kerl in dem Buch, dieser Werther, wie er hieß, macht am Schluß Selbstmord, weil er die Frau nicht kriegen kann, die er haben will. Dabei, wenn er nicht völlig verblödet war, mußte er doch sehen, daß sie nur darauf wartete, daß er was *machte*, diese Charlotte. Aber er sieht ruhig zu, wie sie einen anderen heiratet, und dann murkst er sich ab. Dem war nicht zu helfen. Wirklich leid tat mir bloß die Frau, jetzt saß die da mit ihrem Mann, diesem Kissenpuper. Wenigstens daran hätte Werther denken müssen! Und dann bestand dieser ganze Apparat bloß aus Briefen von diesem unmöglichen Werther an seinen Kumpel zu Hause. Das sollte wahrscheinlich ungeheuer originell wirken oder unausgedacht. Der das geschrieben hat, soll sich mal meinen Salinger durchlesen. *Das* ist echt, Leute!"

(Ulrich Plenzdorf, Die neuen Leiden des jungen W., 1975)

Text 3

„Für uns machen se in S. überhaupt nichts. Se meckern nur alle, weil wir an der Uhr rumhängen und angeblich die Bänke zerschlagen. Dabei quatschen wir bloß und hören steife Musik. Manche rennen dann gleich zur Polizei und spinn'n rum von wegen Rowdytum und so. Und im Affenzahn kommen die Bullen angefahren, verlangen die Ausweise und drohen: Beim nächstenmal gibt's eine Anzeige – und lauter so'n Scheiß. Wir ham die Bänke aber nicht demoliert. Wir nicht!

Wir, det is unsere Clique, so an die vierzig Leute. Alle in Lederkluft. Die Hälfte hat ein Moped. Wenn wir alle auf einmal losfahren, macht das natürlich einen Heidenlärm, und die Alten erschrecken sich. Aber deshalb sind wir doch keene Rowdys, wa? Wir wissen echt nicht, wohin. Im Klubhaus ist nur mittwochs Disko. Da gehen wir aber nicht hin, weil's stinklangweilig ist. Wir fahren zur Disko auf die Dörfer. Da fetzt es echt ein. Wenn unsere Clique dort vorfährt, sind wir die absoluten Kings. Die Mädels sind total scharf auf uns aus der Stadt. Was ja in S. nun nicht der Fall ist. Da gibt es noch andere Cliquen. ...

Ich sehe nicht ein, warum ich mich nach Omas Geschmack richten soll. Silke ist mein liebster Mensch. Im Moment ist sie mir lieber als meine Eltern und meine Kumpels, echt. Sie ist urst lustig, ich kann gut mit ihr quatschen, was so „in" ist in der Musikszene oder bei de Klamotten und über meine Erzeuger, weil die mich immer so gängeln und mir am liebsten ooch noch meine Freunde aussuchen möchten. ...

Silke hat noch drei Schwestern. Sie machen immer was los, oben in ihrer Bude. Ihre Mutter ist oft nicht da, da können wir so laut Musik hören und feiern, wie wir wollen. Da geht's heiß her! Ich habe noch nie eine Fete gegeben, weil es Dreck macht und Kathrin gestört würde, wie Mutter sagt. Bei uns ist es total langweilig. Darum bin ich lieber mit Silke oder mit den Kumpels zusammen."

(Christine Müller, Männerprotokolle, 1985)

Text 4

„Sie haben Ihren Urlaub im vergangenen Jahr in der DDR verlebt. Sie glaubten bisher, gut Deutsch sprechen zu können, und trotzdem hatten Sie – besonders bei Gesprächen mit Jugendlichen – Schwierigkeiten, immer folgen zu können. Machen Sie sich darüber keinen Kopp (nicht grübeln), die folgenden Zeilen wollen Ihnen einen kleinen Einblick in die Umgangssprache Jugendlicher geben. Die Beherrschung dieses Mindestwortschatzes wird Ihnen bei Ihrem nächsten Besuch bestimmt das Prädikat „affenstarker Typ" (Lob, Anerkennung) einbringen. Fakt, Baby! (So ist es.)

Wenn sich z. B. ein Schüler eine Dicke eingefangen hat, so spricht er damit nicht von seiner neuen Freundin, sondern er meint die Note 5, die ihm seine Lehrerin gegeben hat, als er zufällig mal nicht aus der Hüfte, aus der Knete oder aus der Asche kam (den ganzen Tag nicht munter wurde). Dann sollte der Vater nicht wie ein Kaputter (ein in Hektik geratener Mensch) einen Aufriß machen (sich aufregen). Das schlafft (ermüdet, ist langweilig). Meist packt den Jungen selbst nackter Ekel (es ist ihm unangenehm). Wenn Jugendliche etwas eindrehen wollen, möchten sie sich nicht mit ihrer Haarpracht beschäftigen, sondern etwas essen. Aber sie wollen nicht unbedingt trinken, wenn sie keinen Saft mehr haben. Dann ist nämlich das Taschengeld alle. Wenn ihnen dann die Eltern einen außerplanmäßigen Fünfer (5 Mark) oder sogar ein Pfund (Zwanzigmarkschein) geben, ist das eine urste Pose (eine großartige Haltung). Und ein Geigel (Witz) ist es, wenn die starke Scheibe (Schallplatte), die sie sich für das Geld kaufen wollten, tatsächlich noch zu haben ist.

Das poppt ein, fetzt, schockt (ist hervorragend).

Aber ich mache jetzt meinen Kopp zu (schweige) und reite vom Hof ab (verabschiede mich und gehe)."

(Sprachpraxis, Arbeitsmaterial für den Deutsch lernenden Ausländer, Umgangssprache, 1980)

Text 5

„hallo ihr! ca va? I hope so. ich bin zur zeit in Ilmenau. eigentlich wollte ich ja skifahren, aber leider hab ich egal nasse füße, die ewige modderpampe ist grausam! ich finde sieht richtig gut aus, alles klein geschrieben.

– gestern sind wir nach Gotha getrampt, fanden dieses kleine städtchen wirklich anstrebenswert. heute triefen wir leider so dahin. im übrigen schreibe ich euch nur, weil ich schreibmaschine lernen will. na ja, aber immerhin, ich schreibe euch ja, wie geht es denn so? macht das leben spaß? ich höre gerad ein klavierkonzert, was mir gute laune macht, bin nämlich Bach-fan, ist absolut der größte. Bach auf orgel oder spinett, köstlich! ich überlege ob es notwendig ist, alles noch mal abzuschreiben, aber ich hoffe, ihr versteht meine lage, peer hört nämlich zu und so möchte ich doch einigermaßen schnell tippen. was draus wird, ist nicht gerade beglückend. hin und wieder schreibe ich sogar blind. ihr seht es ja. ist omi eigentlich noch beat-fan? fände ich durchaus gut, beat ist nebenbei gut für den puls und überhaupt. – wir gehen jetzt spazieren an der Ilm entlang und holen uns mal wieder nasse füße.

viele grüße
Pony"

(S. Muthesius, Flucht in die Wolken, 1981)

Text 6

„– Hello Fans Mensch wat hängtan hier rum – oben im Klub is doch Disko –
– Dreh ne so uff man – ham keene Lust – siehste dit ne oda wie?
– Man spielsta a heute wieda doll uff – ick wollta ja bloß n janz heißen Tip jeben wa – ehrlich ..."
(Jürgen Beneke, Zeitschrift für Phonetik, Sprachwissenschaft und Kommunikationsforschung [2 PSK], 1985)

Text 7

„Lieber X!
Ach Tom! Soo viele Bücher. Wie, um Gottes Willen, soll ich die denn alle lesen? Aber ich werde das schon schaffen! Heut wollt ich mich eigentlich verpissen und meine Rollen lernen, weil ja Sonntag war. Aber ich mußte dann so mit ‚freiwilligem Zwang' an dem doofen Sportfest teilnehmen, und dummerweise hat meine Mannschaft auch noch gewonnen (lag wirklich nicht an mir). ... Na, auf alle Fälle war der Tag hin. Hab jetzt eben schon in der Maxie Wander geschmökert. Damit hast Du nen Volltreffer gelandet, das wollt ich schon lange mal lesen. ... Und sonst keine Diskussionen, alles beste Sachen. ...
Na wie gesagt, hab mich wie dumm gefreut, jetzt brauch ich wenigstens nicht mehr Fernsehen glotzen.
Den Tucho hatte ich einen Tag, bevor das Paket ankam, fertig. Es kam also genau richtig. Ich hab zwar noch ‚Das Schwanenhaus' v. M. Walser, aber für den braucht man viel Abgeschiedenheit und Ruhe, weil man da ganz ‚drin' sein

muß. Und so was gibt es hier kaum. Solange einer mit auf der Bude ist, läuft das Radio, dazu noch den ihr Krach ...

Irgendwie bin ich so ziemlich lust- und antriebslos. Weiß auch nicht, wie das kommt. ...

Wann ist eigentlich wieder Volkstanz? Müßte am 24. sein, was? Werden wir schon hinbekommen.

Es grüßt Dich
Y"

(Privatbrief)

Text 8

„Ich finde Eure Idee echt geil. Das könnt Ihr in jedem Heft wieder machen. Wirklich, Eure Idee ist stark.

Tschüß"

(Leserbrief)

Text 9

„Die Idee mit den Kassettenbildern finde ich wahnsinnig toll und gefällt mir echt gut. X ist sahne. Der Y steckt bei mir schon in 'ner Kassette. Ich glaub, der freut sich darüber urst sehr und wohlfühlen tut er sich dort auch.

Eure"

(Leserbrief)

Text 10

„Die Idee mit den Kassetten-Covern finde ich total geil. Also wirklich, ist einfach edel. Ihr könntet neben den Covern vielleicht auch noch Texte bringen und so. Natürlich mit ein wenig Action.

Tschüß"

(Leserbrief)

Text 11

A: So 'ne Scheiße.

B: Was is denn? Biste nicht mit 'm Bus gefahren?

A: Meine Jacke ist weg. Ich werd' zum Schwein, wenn die nicht wieder auftaucht!

B: Na, wo haste se denn zuletzt gehabt?

A: Auf 'm Stuhl, bei den Klamotten von den anderen.

B: Mach dich nicht heiß! Hat bestimmt ein Kumpel von dir mitgenommen!

A: Hoffentlich! Sonst raste ich aus! So viel Knete ... einfach weg. Ich werd' wahnsinnig! He, nimmste mich mit?

C: Ne, is mir zu weit.

A: Wenigsten 'n Stück.

C: Na los, mach Welle, sonst sind die anderen weg.

A: Tschüß! Macht's gut!

B: Tschüß! Und mach dich nicht verrückt wegen der Jacke.

(Hörbeleg, nach einer Disko)

Text 12

A: Eh, Leute, könnt ihr euch vorstellen, ich hab's endlich mal geschafft, Karten für den Stadtkeller zu erwischen. Ne Viertelstunde hing ich vielleicht an der Strippe, aber die haben se mir gegeben – zehn Karten.

B: Meine Fresse!

C: Oih, zehn Karten! Mir haben se nur vier gegeben!

A: Wer geht denn nu mit? Habt ihr Lust mitzugehen?

B: In 'n Stadtkeller! Also nee!

A: Warum denn nicht!

C: Ist doch Spitze!

B: Nee, da komm' ich mit Jeans nicht rein. Da geh' ich gar nicht erst hin.

A: Nee? Mit Jeans kommste nicht rein?

B: Nee, ehrlich!

C: Nee, hör auf, so 'n scheiß Laden!

A: Besser, als wie wenn da nur Tramper rummachen.

C: Ich weiß nicht, mir fetzt das nun mal!

A: Wer geht denn nun noch mit, wenn du nicht mitgehen
    willst?
C: Vielleicht geht der X noch mit?
A: Wer ist denn das?
B: Na, Y ihre Sonne.
A: Was, Y ihre Sonne, ehrlich?
C: Klar, kennst du aber auch.
(nach Tonbandprotokoll)

Text 13

A: Machst wohl 'n Abflug?
B: Ja.
A: Bleib gesund!
B: Ja, du och.
A: Da geht so 'n Virus um.
B: Ja, meine Schwester hat's schon entschärft.
A: Na dann.
B: Na dann.
(Hörbeleg, Straßenbahn)

Text 14

A: Was denkst 'n du, der hat nich ma angerufen.
B: Wirklich?
A: Das is' stark, ne.
B: Ja, das is' schwach. Das hätte er machen können.
(Hörbeleg, vor dem Unterricht)

Text 15

A: Ich jeh uff Disko morjen. Du och?

B: Nee! Ick steh' zur Zeit voll uff 'n Schlauch.

A: Na, ick jeh och bloß wegen die Olle.

B: Wat 'n, die Brosche sah ja nicht so aus, als ob se sich so leicht anstecken läßt.

A: Ach, dit looft schon.

B: Jib mir ma 'nen Waggon!

A: Immer dein Durchgeschlauche. Koof dir doch ma 'n Zug!

(Hörbeleg, nach einer Disko)

Alphabetisches Verzeichnis der Wörter und Wendungen

Das Wörterverzeichnis enthält alle im Wörterbuch vorhandenen Wörter und Wendungen. Die ausführlich behandelten Stichwörter erscheinen halbfett gedruckt, die übrigen findet man auf der angegebenen Seite bei einem anderen Stichwort unter dem als synonymisch (syn.) angeführten Ausdruck. Im Register werden folgende Abkürzungen verwendet:
etw. – etwas, jd. – jemand, jm. – jemandem, jn. – jemanden.

auf etw./jn. **abdriften** 83
abducken 61
abdüsen 70
auf etw./jn. **abfahren** 61, 83
Abfahrt 38
Abfahrt geben 61
abfaulen 61
den **Abflug machen** 38, 61
abgefüllt sein 78
abgehen 83
sich **abgeilen** 61
abgrölen 62
abklemmen 62
abknien 83
abkotzen 62, 102
ablachen 62
ablaichen 62
abmatten 62
abpennen 62
abpfeifen 38
abruhen 62
abrutschen 62
abschmatzen 63, 102
abschminken 63
abschnallen 97
abschreien 62
abschwitzen 63, 102
sich **abseilen** 38, 63
absolut 83, 87, 99, 100, 101
abstinken 62, 63
abstressen 63
abtauchen 61
abulfen 80

abziehen 63
action 55, 103
Affe 97
affengeil 83, 87
affenstark 84
affentittengeil 83
affentittenturbogeil 83
Ägypten 35
Ahoi! 33
Alk 55
alken 63
alle machen 92
also 35
alt aussehen 64
Alte 33, 41, 42, 43
die Alten 40
Alter 34, 41, 43
analegal 103
angebumst sein 78
jn. **angehen** 64
angeschossen sein 78
Anhang 42
anknallen 64
Anmache 55
anmachen 64
anmotzen 64
Anscheißer 43
anschieben 65
anstinken 65
antörnen 65
Apparat 51
Arsch 34, 35, 92, 103
aus'm Arsch kommen 39

arschlos 92
Arschrunzeln 103
Asche 58, 65, 93, 96
Assel 44
Assis 34
astrein 84
astronomisch 93
Atze 41
ätzend 93
ätzig 80
aufgestylt 87
aufheizen 65
aufreißen 65
ein Faß aufreißen 66
Aufreißer 51
einen Aufriß machen 66
einen Aufstand machen 66, 80
sich ein Auge holen 84
fette Augen machen 66
Augenpflege machen 66
ausflippen 66, 84
ausgeflippt 67
ausrasten 67

Bäcker 44
Der Bär ist los! 84
bärenstark 84
bärisch 84
beeumelt 93
beinahe 99
Beine 52
bekeimen 67
bekeimend sein 96
beknackt sein 93
bekoffern 67
belasten 38, 67, 93
belastend 93
belegen 67
belöffeln 67
sich beölen 68
Besenstiel 52
etw. ist bestätigt 84
betütert sein 78
eine Biege machen/drehen 68
Biene 42
Bilder 46

blank 89, 99
informativer Blick 68
blicken 46
blickig sein 68
Bock auf etw. haben 84
Bock haben 68, 103
keinen Bock haben 75
Bock machen 93
minus Bock 75
zero Bock 75
bocken 85
Bockwurst 45
bongen 68
Boß 52
die Bosse 40
Braut 42
einen Breiten machen 69
die Brille aufhaben 69
Brosche 42
Brustkorb 50
Bubi 43
Buch 50
Büchse 42
Bude 55
Bulettenkombüse 55
Bulettenschmied 52
Bundi 52
Bürste 42
Bus 46
Buschplahudi 34
wie ein Buslenker 78

Chaote 34, 43
checken 69, 79
Chef 52
der Clan 41
claro 36
die Clique 42
cool 85

meine alte Dame 41
dampfen 46
deli 85
Ich denk',... 98
Derre 42
eine Dicke einfangen 69

altes Ding 94
ein Ding aufbauen 65
ein Ding zu laufen haben 46
Disko-Torte 42
Dose 42
etw. draufhaben 103
drauf sein 85
etw. dreht 74
etw. dreht sich 69
schlanker Dreitonner 51
etw. dröhnt 74
Dummheit 46
Durchblick haben 69
durchblicken 46
durchchecken 70
durchhängen 70
durchhauen 70, 85
durchknallen 70
Dürre 42
düsen 70

echt 36, 87, 99, 101
echt sein 46, 85
edel 86
edelgeil 87
Edelzapfen 82
ehrlich 33, 36
dickes Ei 97
ein Ei auf dem Kopf haben 46
ein Ei auf der Schulter haben 46
das Ei wird schon gelegt 79
die Eier schaukeln 70
Eimer 47
einchecken 85
eindrehen 70
einhauen 85
einmotzen 88
einpfeifen 70
der nackte Ekel peitscht 94
ekeln 45
Elch 98
zum Elch werden 94
Elle 42
Emanze 43
etw. eng sehen 70
entschärft sein 71

Ernährer 40, 41
intravenöse Ernährung 55
Erzeuger 40
mein Erzeuger 41
Eskimo 98
Eumel 34
eumeln 71
das blanke Extrem 86

face 56
Fakt 36
Na, Fakt 33
Fans 34
Farm 56
dem Faß die Krone ins Gesicht
    schlagen 98
ein Faß aufreißen 66
faulen 71, 98
Faust 50
Feeling 56
Ferkelschubs 56
fertig sein 47, 71
Fete 56
fett 94
Fett 58
fett sein 78
fettes Ding 94
fetzen 86
die Fetzen fliegen lassen 73
Fetzer 52
fetzig sein 86
eine Wolke fetzt 86
fies 94
Fiez 41
den Finger ziehen 71
schlimmer Finger 52
fix und foxi 71
Flachsauge 34
Flamme 42
Flaschenhals 34
ungeschicktes Fleisch 52
Fleppe 44
Fliegerangriff 56
Flippe 57
flippig 71, 94
die Flocke machen 38

Flöhe 58
die Frau 41
Freak 34, 53
sich frischmachen 71
fühlen 103
full sein 78
ein Fullinger sein 78
Fummel 57
fundamental 86
Fuß 47
die Füße an die Decke
  schmeißen 72
gut im Futter stehen 54

die Gang 42
Gehruten 57
etw. geht jm. auf ... 95
geil 87
der General 41
der Generalstab 40
Gerät 42
sattes Gerät 42
Gerstenkaltschale 60
geschossen 47
Gesicht 45
sein Gesicht nehmen 38
Gesichtseimer 34
Gesichtsfünf 34
jm. ein Gespräch aufdrän-
  geln 39
Gipsbett 50
Gipsköppe 34
glatt 100
Ich glaub, ... 98
Glotze 57
Glotzen 57
Gosse sein 95
der Greis 41
die Greise 40
Grilleta 60
Grimm haben 72
Grufti 111
Gruß 33
Gucker 57
gutgehen 51

Hallo! 33
Hallo again! 33
Halogene 57
auf den Hals stellen 72
Hammer 48
Ich denk', mein Hamster
  bohnert! 98
der letzte Hänger 95
Harry haben 47
die Harten 52
sich einen Harten machen 77
die Haus-BGL 40
mich haut's weg 81
Hei! 33
heiß 87
sich heiß machen 72
mein alter Herr 41
meine Herrschaften 40
der letzte Heuler 95
Hirsch 58
hochgestylt 87
Hocker 99
vom Hocker reißen 87
Höhepunkt 103
hohl 95
hohl sein 47
Hohlroller 34, 44
Horchbretter 57
Horror 95
aus der Hose kommen 72
tote Hose 34, 95
Huf 47
die Hufe an die Decke
  schmeißen 72
hufig 80
aus der Hüfte kommen 39, 72
Hugo 57
Hülse 60
Humpen 60
keine Hürde 103
Hut aufsetzen 47

irgendwie 104
irre 100
Ische 42

Jagdschein 57
Joint 57
Junior 41

auf die Kacke hauen 72
aus der Kacke kommen 39
kaputt 99
kaputt sein 47
der Kaputte 53
Kaputtnik 53
Karre 58
Käse 96
Käte 33, 42
Keim 34, 44, 57
keimfrei 87
keimig 80, 96
Keks 43, 47
Kerl 43
Keule 41, 42
Kies 58
Kinderschubs 56
Kippe 57
Kirsche 42
Kiste 58
die Kiste läuft 73
eine unsichere Kiste 73
Klaffte 44
Klampfe 58
Klapper 47
Kleiner 50
das Klo anbrüllen 80
Klops in der Blutbahn 49
Klunte 44
Knabberkiste 50
Knack 58
alter Knacker 44
Knackies 34
Knaster 58
Knete 58
Knete bunkern 69
auf die Knete hauen 71
aus der Knete kommen 39, 72
aus dem Knick kommen 72
aus dem Knie kommen 72
über den Knorpel ackern 73
knusper sein 48

Kohle 58
kommen 73
da kommt was rüber 77
das kommt rüber 77
dumm wie ein Konsumbrot 48
etw. in den Kopf leiern 73
den Kopp zumachen 39
Krankenschwester 51
einen Kreis ziehen 39
Kröten 58
Krümelhusten haben 73
Kuchen 45
eine Kuh fliegen lassen 73
Kumpel 34, 43
Kunde 43, 53
urster Kunde 43
Kundin 42

Lack 58
Lappen 58
'ne Latte haben 48
einen laufen haben 48
etw. läuft im Dreck 74
etw. läuft nicht 74
etw. läuft nicht rund 74
Laufwerk 57
Leader 52
etw. leiert 74
Leute 34
Leutschers 34
einen Lift kriegen 74
sich liften lassen 74
jn. linken 74
mit links 100, 103
logo 36
etw. ist logo 74
losgehen 48
etw. geht nach hinten los 74
losjumpen 75
löten 104
Lulle 57
Lunte 57

sich zum ... machen 75
mein Macher 43
Macker 43

Mädel   42
Marie   58
'ne müde Mark machen   75
Maschine   45
Massen   34, 53
Matte   58
Mäuse   58
maximal   100
Mecke   58
etw. merken   48
Merkwürden   41
Messe/messe   87
das Messer in der Tasche
    aufgehen   96
Mieze   42
Minipanzer   51
Mischbrot   44
Miß   42
einen mitlaufen haben   46
Möhre   58
möhrig   58
Molle   60
Money   58
Moos   58
motzen   88
die Mücke machen   38
Mugge   75
Müll   96
die Mülltonne dichtmachen   39
den Mund zumachen   39
Murmel   58

Nadeln an der Tanne   48
nichts sein   96
Notgroschen   58
Null/null Bock haben   75
Null/null Trieb   96
Nulle   57
Nuttendiesel   59

oberaffengeil   83, 87
Ofen   58
ein Ohr abkauen   75
o. k.   37
die Oldies   40
die Oldtimer   40

Omme   58
Opa, Opi   44
Optik   48
satte Orgel   59
ottigeil   87
otzen   88
out sein   104

etw. packen   75
Panik machen   80
Party   59
pekig   80, 96
Penner   43, 54
Penunse   58
peoples   44, 53
sich eine Pfeife anbrennen   76
Pflaume   44
prasseldummes Pförtnerkind   34
Pichte   57
Piepen   58
Pilfe   57
Pinke   58
der Planet prasselt   76
pofen   76
poppig   88
das poppt   88
sich porös machen   72
eine urste Pose   88
Power   59, 88
Power machen   76
powern   76
Praline   42
protoprima   88
Pulver   58
Punker   54
Puppe   42
Pusche   44

ein Rad abhaben   48
Radatten   58
der blanke Rahm   89
der Rat der Götter   40
der hohe Rat   40
rattendattenzu sein   78
rattenscharf   76
rattern   49

119

Rauche   57
meine Regierung   40
reindrehen   70
reinziehen   76
einarmiges Reißen   76
ein irrer Renner   88
Rente   51, 58
Riesenzapfen   82
riesig   89
Rille   59
Riß in der Schüssel   49
Riß in der Tasche   49
Rooche   57
ein Rohr brechen   77
volles Rohr   77
Rotz   77
'ne Roulade haben   49
etw. in die Rübe kippen   73
sich eine Rübe machen   77
rüberbringen   77
rüberkommen   77
rüberwachsen lassen   77
rumdüsen   70
rumhängen   77
rumputschen   66
rumrüsseln   62
rumstinken   78
rumstressen   78
rumzucken   78
rund laufen   49
sich rund machen   78
rund sein   78

eine urste Sache   88
dumm wie'n Sack Kartoffeln   48
Sahne/sahne   89
die blanke/volle Sahne   89
sahnig   89
Sahne-Schnitte   42
Salut!   33
Salve!   33
auf dem Sand sein   78
Sargnagel   57
satt   89
sauber   46, 89
sauber sein   46

sauedel   86, 100
saugeil   100
saustark   100
Schalom!   33
scharf   89
etw. auf der Schaufel haben   49
Scheibe   48, 59
Scheich   43
Scheinwerfer   57
scheiß   100
scheißegal   103
den Schirm zuklappen   78
Schlaffi   43
alte Schlampe   34
schleifen   104
etw. schleift   79
Schleimi   43
Schleuder   58
Schmott   58
Schnalle   34, 42
schnallen   79
den Schnapper zumachen   39
Schnecke   42
schneckenfett sein   78
alter Schneckenschiß   34
Schnulli   96
schocken   89
Schocker   60
Schrankkoffer   51
Schreckschrulle   34
Schrott   96
gut im Schuh stehen   54
'nen Schuß haben   78
den Schwan machen   38
das Schwein töten   79
zum Schwein werden   94
Schweinebraten fressen   79
Schwelle   42
Schwester   33
Schwierigkeiten   49
sich sehen   49
Seher   57
jn. von der Seite belegen   40
Sender   49
Servus!   33
Show   60

120

sinnlos 96
die Sippe 41
die Sippschaft 41
Sister 42
Socke 34
Softi 43
meine Sonne 42, 43
Sonniboy 43
es ist alles zu spät 97
volle Sphäre haben 78
Spielpartner 43
die Spießer 40
Spinatwachtel 34
auf etw. spitz sein 79
Spitze 90
spitzenmäßig 90
Splitter 49
stark 90
Staub 58
stehen auf etw. 90
Sticks 57
Stiftchen 57
stinkig sein 78
Stoff 57, 60
Strahl 54
Strebothek 60
etw. ist stressig 79
unter Strom stehen 78
die Stücken 58
Stuhl 45
Stuß 96
süffig 80
super 90
Supermutti 42
Süße 33, 42

Tante 42
rasse/rassige Tante 42
etw. auf der Tasche haben 49
Tee 60
im Tee sitzen 78
einen im Tee sitzen haben 78
Terror machen 79
kein Test 103
ticken 49, 79
wie's Tier 100

tierisch 90, 100
bunte Tinte 48
zu wie ein Topf sein 78
in den Topf gucken 40
Töppe 60
Torte 33, 34
total 87, 101
Totalverblöder 57
Tramper 43, 54
Traum/traum 91
Trieb auf etw. haben 80
keinen Trieb haben 103
trocken 104
trunkig 80
Tschüssikowski 37
Tunte 44
Tussi 33, 42
Typ 43, 54
urster Typ 43
Typin 42

übelst 91, 101
übelsten Dank 37
Überlied 91
Übermugge 75
Ulf rufen 79
ulfen 80
urisch 101
urst 88, 101
urster Hammer 91

Verarschung vierten Grades 97
verbommeln 104
sich verfatzen 40
etw. vergessen 80
kannste vergessen 102, 104
verkauft sein 80
verkeimt sein 80
jm. etw. verklickern 80
eine Verlade machen 81
sich verpfeifen 40
sich verpissen 40
versäuft 80
versifft 80
versüfft 80
versypht 80

zum Vieh werden 94
Volksverdummer 57
voll 102
vollkoffern 81

nichts/etw. auf der Waffel
   haben 49
sich keine Waffel machen 81
Waggon 57
Wahnsinn/wahnsinn 91, 102
Wahnsinn(s)- /
   wahnsinn(s)- 91, 102
wahnsinnig 102
Wald 49
alt wie der Wald 94
Wamsbrett 44
Das war wohl nichts. 37
sich warmmachen 51, 71
wie ein Schluck Wasser
   aussehen 81
wegfaulen 61, 81, 98
sich wegschmeißen 81
sich weghauen 81
sich wegklatschen 81
wegpowern 81
die Beine wegsemmeln 82
Weib 42

Welle 92
Welle machen 77
Welt 92
weltmäßig 92
Wichser 43
Das darfste wissen! 37
Das kannste wissen! 37
Wolfgang brüllen 80
Wuhling 60

Ypse 58

Zahn 45, 51
einen Zappen ausfahren 82, 50
Zapfen/Zappen haben 50, 82
Zarte 33, 42
Zarter 34
Zaster 58
sich zereiern 82
sich zerfetzen 82
sich zerrupfen 82
sich zerschießen 82
eine Ziege loslassen 73
eine Ziehung machen 82
Zoff machen 82
Zwölferpackung 46
Zug 60